暗黒の啓蒙書

The Dark Enlightenment

ニック・ランド
Nick Land

五井健太郎 訳
木澤佐登志 序文

講談社

暗黒の啓蒙書

THE DARK ENLIGHTENMENT
by NICK LAND

暗黒の啓蒙書

目次

序文

PART 1

PART 2

カバー作品：中上清　装幀＋扉・目次デザイン：コバヤシタケシ

序文　『暗黒の啓蒙書』への「入口」

木澤佐登志

ニック・ランドとは一体何者か。資本の絶えざる脱領土化を推し進めることで資本主義の内破を目指す「加速主義」の提唱者？　ＣＣＲＵでの活動を通じてその後の「思弁的転回」に通じる哲学的な地下水脈を九〇年代の時点で醸成していた影のフィクサー？　ニーチェ主義にかぶれたリバタリアン？　新反動主義者とツルみながら優生学的な人種思想すら肯定する白人至上主義者？　おそらく、そのどれでもあり、かつそのどれでもない、とさしあたりは言っておこう。

ともあれ、いささか先走りすぎた。ひとまず、ニック・ランドのプロフィールを簡単に確認しておくことから始めよう(1)。

ニック・ランドは一九六二年、英国に生まれている。フランスの思想家ジョルジュ・バタイユの研究でアカデミックなキャリアをスタートさせた彼は、一九八七年にウォーリック大学に講師として着任。そこでは主に大陸哲学の授業を担当し、以降アカデミシャンとしてのランドの生活は、彼がウォーリック大学を辞任する一九九八年まで続くこととなる。一九九二年には彼のバタイユ研究の成果と言える初めての単著『絶滅への渇き（*The Thirst for Annihilation: Georges Bataille and Virulent Nihilism*）』が刊行されている。

アカデミズム期におけるランドにとっての一つの転機は一九九五年に訪れる。この年、ランドは同僚で公私ともにパートナーであったサディ・プラント（Sadie Plant）とともにサイバネティック文化研究ユニット（Cybernetic Culture Research Unit: CCRU）をウォーリック大学哲学部の内部に設立した。この、学生主体でかつ非公式の集団は、大陸哲学、ポスト構造主義（ドゥルーズ＋ガタリ）、サイバネティクス、サイエンス・フィクション、レイヴ・カルチャー、オカルティズム、等々、といった広範なジャンルを学際的に踏破する特異な思索を暗号的かつ秘教的なテクストとともに生成していき、かつその中心には常にカリスマ的な導師《グル》としてのランドの姿があった。

このCCRUに当時関わっていたメンバーとしては、のちに批評家として活動し、著書『資本主義リアリズム』などで知られるも二〇一七年に自裁したマーク・フィッシャー（Mark Fisher）、思弁的実在論[2]のプレイヤーとしても知られることになるイアン・ハミルトン・グラント（Iain Hamilton Grant）とレイ・ブラシエ（Ray Brassier）、出版社アーバノミック（Urbanomic）の編集ディレクターを務め、加速主義や思弁的転回にまつわる動向の紹介を積極的に行っていくこととなるロビン・マッケイ（Robin Mackay）、Kode9名義で活動し、ゼロ年代のダブステップ・シーンを牽引するレコード・レーベルHyperdubの創設者としても多大な影響力を誇ることとなるスティーヴ・グッドマン（Steve Goodman）、アフロフューチャリズム[3]の理論家として知られるコドヴォ・エシュン（Kodwo Eshun）、セオリーフィクションなる散文ジャンルを開拓し、哲学とフィクションとを隔てる境界を越境してみせた哲学者兼作家のレザ・ネガレスタニ（Reza Negarestani）、デジタルメディアと身体の関わりについての理論を展開するルシアナ・パリシ（Luciana Parisi）、といった錚々たるメンバーを挙げることができる。

だが、ＣＣＲＵの黄金時代はそう長くは続かなかった。設立から二年後の一九九七年には共同設立者のサディ・プラントがウォーリック大学を退職し、以降はランドが実質一人でＣＣＲＵを切り盛りするようになる。大学当局からもその存在を煙たがられていたＣＣＲＵは、ウォーリック市内のレミントン・スパにあるザ・ボディショップの上階に部屋を借り、そこに活動拠点を移していた。その外界から隔絶された実験室《ラボ》では、アレイスター・クロウリーの魔術、数秘学、ヴードゥー教、ラヴクラフトといった秘教的な思索が行われた。[4] 『ガーディアン』紙のなかで、ロビン・マッケイは当時を回想し、「ＣＣＲＵは疑似カルトと化したのです」と述べた上で、次のように続け[5]

（1）なお、以下に続くランドについての年譜的記述とＣＣＲＵの関係メンバーについては以下のサイトを適宜参照させていただいた。https://www.meta-nomad.net/nick-land-accelerationism-neoreaction-overview-guide/

（2）二〇〇七年にロンドン大学ゴールドスミス・カレッジで開かれた「思弁的実在論」と題するワークショップに端を発する哲学的立場。カント的な事物「それ自体」の実在を、人間の認識に依存しないかたちで改めて問題にすることで、哲学の脱 - 人間中心化を推し進めようとする。ワークショップに集ったカンタン・メイヤスー、レイ・ブラシエ、グレアム・ハーマン、イアン・ハミルトン・グラントの四人が思弁的実在論のオリジナル・メンバーとされる。

（3）二一世紀のテクノカルチャーにおける文脈で、アフリカン・アメリカン的関心を強調するＳＦ的あるいは思弁的フィクションを流用することで、抵抗の系譜と未来への夢が折り重なったものとしてアフリカン・アメリカンの「現在」を把握する知的実践。批評家のマーク・デリーが九三年の「Black to the Future」という、ＳＦ作家サミュエル・Ｒ・ディレイニーやアフリカン・スタディーズ研究者トリシア・ローズらへのインタヴューとエッセイで構成された文章のなかで最初に「アフロフューチャリズム」という語を用いた。

（4）イギリスのオカルティスト、著述家。一九〇四年の代表的著作『法の書』のなかで、「汝の意志することを行え、それが法のすべてとなろう」というテーゼを根本思想とする宗教体系セレマを打ち立てたことで知られる。

る、「私はCCRUが完全な狂気に陥る前に去りました」。

一方、ランドも度重なる不眠と身体的疲労によって自らを消尽させていくかのようだった。当時の彼が中枢興奮刺激剤であるアンフェタミンの中毒症状に陥っていたことを示唆する記述は、後年になってから当時を自嘲的に振り返ったテクスト「A Dirty Joke」のなかにも見られる。マッケイは、当時のランドの様子を回想して、「端的に言って彼は発狂したのです」と総括している。そして一九九八年、ランドもウォーリック大学を辞職し、彼のアカデミシャンとしてのキャリアはここで完全に絶たれたことになる。


正確な時期は不明ながら、大学を退職したランドは、今度は一転して中国は上海に生活拠点を移す。その地でランドは現地のジャーナルなどへの執筆を行う一方で、出版社 Time Spiral Press を立ち上げるなど出版活動に従事していた。同時にこの頃からブログも精力的に執筆しはじめる。

二〇一一年になるともう一つの転機が訪れる。ランドが主に九〇年代に発表していた膨大なテクストを集めた書籍『牙をむくヌーメナ（*Fanged Noumena: Collected Writings 1987–2007*）』の刊行である。解説となる序文は、前出のCCRUのメンバーでもあったロビン・マッケイとレイ・ブラシエが担当した。

九〇年代、ランドは資本主義の暴力的な力を加速度的にドライヴさせることで特異点《シンギュラリティ》、すなわち未知の領野へのアクセスを目指す思想を、熱に浮かされたような文体とともに打ち出していた。こうした思想は二〇一〇年代に入ると「加速主義」と呼ばれるようになり、にわかに注目を集めるようになる。その象徴となる出来事が、二〇一〇年九月にロンドン大学ゴールドスミス・カレッジにおいて開かれたシンポジウムであり、そこでの討論のテーマは加速主義についてだった。シンポジウムの参加者は、マーク・フィッシャー、レイ・ブラシエ、ロビン・マッケイ、ベンジャミン・ノイズ、ニック・スルニチェク、アレックス・ウィリアムズの六名で、このうち最後の二名であるスルニチェクとウィリアムズは、ランドへの批判を通じて左派加速主義という立場を打ち出すことになる。

二〇〇八年に起きた世界金融危機以来、右派も左派も資本主義に対する新たな戦略《ストラテジー》を必要としていた。その一つが加速主義というわけだが、他方でリバタリアンの側からもアクションを起こす者たちが現れてきた。そのなかの一人がピーター・ティールである。

世界最大のオンライン決済サービスPayPalの共同創業者、フェイスブック創業時における初の外部投資家、そしてイーロン・マスクをはじめとするシリコンヴァレーの大物起業家たち、俗に言う「ペイパル・マフィア」を束ねる首領《ドン》として知られるティールは、大学時代にはフランスの哲学者ルネ・ジラールに師事する一方で学内の保守系新聞を編集し、卒業後はシリコンヴァレーで特異なリバタリアン起業家として頭角を現してきた。

念のため確認しておくと、リバタリアニズムとは「自由」を至上とする「自由原理主義」である。

(5) アメリカ合衆国の怪奇小説家。「コズミック・ホラー」と呼ばれる形而上学的な恐怖を描いた独自の世界観のホラー作品を数多く執筆。生前は無名のまま没したが、オーガスト・ダーレスをはじめとする彼の作品から影響を受けた作家たちによって「クトゥルー神話」として体系化され、その後のオカルト、ファンタジー、ホラー作品に大きな影響を及ぼしている。

り、国家による介入を良しとしない、市場原理による経済活動を是とする思想であり、一般的にヒューマニズムや平等を良しとするリベラリズムとははっきりと区別される。

そんなティールは二〇〇九年、リバタリアン系オンラインフォーラム『Cato Unbound』に「リバタリアンの教育」と題されたエッセイを寄稿する。そこでティールは先の金融恐慌に触れながら、破綻した金融機関や企業に対する公的資金の投入による補塡といった、国家と市場の腐敗した泥沼的関係を批判した。一九三〇年代のニューディール政策以来連綿と続く国家による大規模な市場介入は、リバタリアン的信念が「政治」の次元に不断に回収されてしまうことを意味していた。先の金融恐慌において頂点に達した国家＝政治と市場の関係の矛盾は、ティールによって「私はもはや自由と民主主義が両立するとは信じていない」と言わしめるに至る。そうして至った結論、それは考えうるすべての「政治」からの出口《イグジット》を目指すこと、これこそがリバタリアンが掲げるべきプロジェクトとなる。

「政治」からの出口《イグジット》を目指すこと。たとえば、経済学者ミルトン・フリードマンの孫で彼自身もリバタリアンであるパトリ・フリードマンが主導する海上入植計画《シーステディング》は、そうした「政治」からの出口《イグジット》を目指すプロジェクトの一つとして挙げることができるだろう。このプロジェクトは、どこの国にも属さない公海上に人工的な島を作り、そこにリバタリアンのための独立自由国家を樹立することを目的とし、ピーター・ティールもそこに積極的に出資を行っていた。

だが、ティールの民主主義政治批判は、実は金融恐慌以前から一貫して表明されていたものでもある。たとえば、二〇〇四年にティールの母校のスタンフォード大学で開かれたシンポジウムは

「政治と黙示録（Politics and Apocalypse）」と題され、9・11以降におけるアメリカ政治の再検討がテーマとなっていたが、ティールはそこで「シュトラウス主義者の時代（The Straussian Moment）」というタイトルの発表を行った（ちなみに、このシンポジウムにはティールの師であるルネ・ジラールも参加していた）。ティールはその発表で、西洋近代の遺産である「啓蒙」のプログラムは、9・11という出来事によって完全な失敗であったことが証明された、と主張した。すなわち、「啓蒙」とそれに付随する普遍的でリベラルな価値観——民主主義、人権、ヒューマニズム、等々——がグローバルに輸出されていくことで、西洋は覇権を握ったかに見えた。だが一方で、そうした啓蒙のグローバル化は西洋の固有性を失わせ、さらに個人の自由を大幅に制限するそれらの啓蒙主義的な価値観は西洋をいたずらに弱体化させることに寄与してきた。そうした事態は昨今の中国や東アジアの著しい台頭、そして9・11以降後を絶たないイスラム諸国からの西洋に対する攻撃という形で一層決定的となった。よって、弱体化した上に9・11というトラウマを抱えた西洋は、いまこそ啓蒙主義的な価値観を脱することで、この破滅的な衰退から逃れなければならない。以上がティールの主張の大まかな骨子である。なお、ティールは先の大統領選挙においてドナルド・トランプを公然と支持し、さらにトランプ政権が誕生した際には政権における有力な政治顧問の一人となりシリコンヴァレーを動揺させたことを付記しておく。

こうしたリバタリアンの側からなされるリベラルな価値観の否定は、やがて異常な共振性を伴いながらティールの周囲に特異な思想を醸成させていくこととなる。「新反動主義」と呼ばれることになる思想がそれである。

新反動主義を代表する論者の一人、カーティス・ヤーヴィンはシリコンヴァレーを拠点に活動する起業家兼ソフトウェア・エンジニアで、Tlonという彼が設立したスタートアップ企業にはティールも多大な出資を行っている。ヤーヴィンは、二〇〇七年頃からメンシウス・モールドバグというハンドルネームを用いて主にブログ上で言論活動をはじめる。ヤーヴィンのそこでの主張は、一面ではティールの「啓蒙」批判をさらに推し進めたものと解することができるだろう。ヤーヴィンによれば、現代において普遍的な価値と見なされている啓蒙的な諸価値――ヒューマニズム、人権、民主主義、博愛主義、平等、等々――は、その実まったく普遍的ではなく、それどころか西洋のローカルな宗教――すなわちピューリタニズムに起源を求めることができる、つまりキリスト教プロテスタンティズムが世俗的に変形されたものに過ぎず、それは自らの起源を巧妙に覆い隠したまま、いまも世界中をウイルス＝ミームのように覆い尽くしている、という。ヤーヴィンはこれを「普遍主義」と名付け、こうした啓蒙主義的価値観は、これもヤーヴィンが「大聖堂《カテドラル》」と呼ぶリベラルな教育機関やメディアから成るネットワークによって間断なく布教されているというのだ。

こうしたヤーヴィンの議論とそれに同調するオンライン上の論者たちは、二〇一〇年にこれもリバタリアン系のブロガーであるアーノルド・クリングによって「新反動主義」と命名される。いまや一つの新たな異形の思想のネットワークが胚胎しようとしていた。そして、やがて一部の「オルタナ右翼」(6)にも思想的な霊感を与えることになる新反動主義というこの新たな思想潮流にいち早く目をつけたのが、前出のニック・ランドその人だったのである。

本書に収録されている「暗黒の啓蒙書（The Dark Enlightenment）」という文章は、ランドが二〇一二年の間に断続的にオンライン上に発表したものである。ランドはPART 1において、ティールやヤーヴィンら新反動主義者たちの思想を紹介しながら、そこで目指されているのは民主主義の「出口《イグジット》」へ向かうことであると要約してみせる。すなわち、この腐敗が宿命付けられた民主制の〈外部〉を目指すこと、そして同時に民主政に代わるオルタナティヴな体制を具体的に構想することと、これこそが新反動主義の要諦なのだという。

それでは、民主制の〈外部〉は、またそこにおけるオルタナティヴな体制は、いかなる風にして看取されることになるのか。それは、以下に続く本文を読者諸氏が読み進むことでおのずと明らかになるだろう。登り終えた梯子は投げ捨てられなければならない。よって、梯子の役目たるこの文章もこのあたりで終わりとする必要があるだろう。

(6) アメリカ合衆国において二〇一〇年代以降に顕在化してきた右翼思想の一種。既存の共和党的保守本流やエスタブリッシュメントに対する反発をベースに、ポリティカル・コレクトネス（政治的正しさ）、リベラリズム、フェミニズム、アイデンティティ・ポリティクスなどに対する攻撃姿勢を主な特徴とする。二〇一六年の大統領選挙ではドナルド・トランプの支持層としてオルタナ右翼の存在が広く知られるようになった。

PART I

新反動主義者は出口《イグジット》へと向かう①

一八世紀のヨーロッパ北部で生じ、現在に至るまで世界的な覇権を握っている「啓蒙」は、〈光で照らす〉という原義のとおり、つねに自明かつ後戻りのありえない進歩的なプロセスとして展開されてきた。したがって、啓蒙にもとづくかぎり、保守や反動はあらかじめ敗者となる。

それを踏まえたうえでランドは、にもかかわらず目下、「新反動主義」という潮流が生まれていることに注目する。この潮流の代表者であるピーター・ティールやメンシウス・モールドバグは、啓蒙のプロセスの延長線上に生じている民主主義の枠内で議論することを放棄し、むしろ積極的にそこからの〈出口《イグジット》〉へと向かっていく。

なかでもランドは、必然的に国家の統制力を拡大させ、ひいては全体主義化していく民主制に代わる現実的なオルタナティヴとして、国家の運営を徹底して合理化し、その権限を最小化することを説く「新官房学《ネオカメラリズム》」なる立場を提唱するモールドバグの議論を取りあげ、彼がおこなう民主主義の本質的な宗教性の暴露に注目していく。

新反動主義とともに、かつての啓蒙の光を遮る「暗黒の啓蒙」がはじまっている。

近代の別名としての啓蒙

啓蒙とは一つの状態であるだけでなく、一つの出来事であり、一つのプロセスである。一八世紀のヨーロッパ北部に集中して生じた歴史的な出来事にたいする呼び名である啓蒙は、近代の起源と本質をはっきりととらえたものであり、その「真の名前」とされるべき有力な候補だといえる（他の候補として挙げられるのは、「ルネサンス」や「産業革命」である）。「啓蒙」と「進歩的な啓蒙」のあいだには、ほとんどとらえようのないわずかな違いしか存在しない。というのも、啓蒙の光があたりを照らすプロセスは時間的な前後関係を生み——そしてその光はかならず、それ自体にたいして注がれていくことになるからだ。つまり啓蒙とは、それ自体にたいしてその正当性を与えていく性格をもったものであり、その啓示はかならず、「自ずから明らかな」ものなのである。したがって退行的であったり、あるいは反動的であったりするような「暗黒の啓蒙」などといいだすのだとしたら、語の本質にかかわるような矛盾になりかねない。その語の歴史的な意味を踏まえるかぎり、啓蒙された状態になるということはそのまま、なんらかの導きの光を受けいれ、そしてそれに付きしたがうことを意味するわけである。

かつて暗黒の時代があり、そしてそれにつづいて、啓蒙がもたらされた。この進展はあきらかに、それ自体によってその正しさを証明するようなものであり、たんになにごとかの改善をもたらしただけではなく、それ自体で一つのモデルとなるようなものを提示した。こうした特徴をさらに強調する事実として、ルネサンスなどとは異なり、啓蒙にとっては、失われたものを思いださせた

（1）［訳注］二〇一二年三月二日更新。

り、過去へと回帰することの魅力を強調したりする必要はないのだということが挙げられる。たとえわずかでも啓蒙を受けいれた時点ですでにそこには、規模こそ小さいにしろ、**ホイッグ史観**(2)が生じることになる。

啓蒙のプロセスのなかで、保守は矛盾した立場に置かれ、反動は危険視される

ひとたびなんらかの真理が啓蒙され、それが自ずから明らかなものだと見なされると、もはや後戻りすることはありえないことになり、したがって保守主義は、矛盾した立場にあるものとして、先手を打たれるかたちで非難され――あらかじめその運命を決定されてしまうことになる。よく知られていることだが、保守派として紹介されることを拒んだF・A・ハイエク［Friedrich August Hayek：オーストリア学派の経済学者］はその代わりに、現状における進歩は、かつてそれが意味していたものとは異なるものだと考える立場として、――「古典的自由主義(3)」といういい方と同義である――「旧《オールド》ホイッグ」という言葉を用いた。ようするに旧《オールド》ホイッグとは、反動的な進歩主義のようなものだといえそうだ。だがいったいどうすればそんな立場がありえるというのか。

いうまでもなく多くの者たちがすでに、反動的モダニズム(4)がどんなものか分かっていると考えているし、一九三〇年代に遡ることのできる目下の崩壊状態のなかにあって、そうした考えは深まる一方であるようにおもわれる。基本的にそれは、すくなくともその進歩主義的な用法において、「Fワード(5)」が意味していることなのである。こうした状況下において民主主義から逃避する者たちがいるとしても、そんな連中は誰からも理解されないだろうという予想をこれ以上ないほどに裏づけることにしかならない。それはたんなる先祖返りだと見なされ、悲惨な結果を繰りかえして終

わるだけだと見なされるのだ。

それでもなお――新反動主義者たちの台頭

だがそれにもかかわらず、なにかが起きている。そして――すくなくとも部分的にであれ――そこには、注目すべきなにかが存在している。一つの試金石となったのは、二〇〇九年四月に開かれた、（パトリ・フリードマン［Patri Friedman：元グーグル・エンジニア、リバタリアン、経済学者ミルトン・フリードマンの孫］やピーター・ティール［Peter Thiel：PayPal創業者、リバタリアン］を含む）リバタリアン思想家たちのあいだでの討議(6)である。『ケイトー・アンバウンド』がホストを務めたそ

(2)［訳注］歴史とは進歩とそれに抵抗する勢力の戦いの歴史であるとしたうえで、もっぱら前者の勝利の過程を物語化して記述していく歴史観。日本語の慣用表現を当てるなら「勝てば官軍、負ければ賊軍」という価値観だといえるだろう。一七世紀のイギリスで敵対するトーリー党に勝利したホイッグ党の歴史記述に由来する。

(3)［訳注］classical liberalism：政府の介入を可能なかぎり退け、個人の自由を至上とする政治経済的な立場。福祉など社会的公正の観点から経済問題に政府が介入することをよしとするリベラリズム（liberalism）と差別化するため、自由主義の原義により忠実な立場であることを強調してこう呼ばれる。

(4)［訳注］合理性を拒絶しつつ近代的なテクノロジーを受け入れた戦間期ドイツの思想家たちのいびつな立場を指すものとして、アメリカの歴史家ジェフリー・ハーフが、その著書『反動的モダニズム』（邦題『保守革命とモダニズム』岩波書店、一九九一年）で提示した概念。この文脈ではとくに、リベラル・デモクラシーに背を向けた反動的モダニストたちが、一九三〇年代以降のファシズムの台頭を準備したのだという指摘が重要。

(5)［訳注］つまり控えめにいってそれは〝Fascism〟であり、さらにいえば〝F＊＊k〟でしかない、ということだろう。

の討議のなかでは、民主主義的な政治が目標として掲げるものや、それがもつ可能性にたいする幻滅が、稀に見る率直さをもって表明されていた。ティールはそうした傾向を、ごくそっけなく次のように要約している。(7)「私はもはや、自由と民主主義が両立可能だとは考えていません」。

これにたいしてマイケル・リンド［Michael Lind：保守派の外交アナリスト、リバタリアン批判の急先鋒］は、二〇一一年八月、オンライン雑誌『サロン』上において、民主主義の側からの反論を投稿し、強烈な悪臭を放つリバタリアニズムの過去の醜聞を掘りおこしながら、以下のように結論づけている。(8)

リバタリアンや古典的自由主義者たちが抱いている民主主義への恐怖は、無理もないものである。じっさいリバタリアニズムは、民主主義とは両立しない。多くのリバタリアンたちはこれまで、自らの主張と民主主義という二つのうちどちらを選ぶのか、その立場をはっきりと示してきた。したがって解決すべきものとして残されているのは、なぜいまだ彼らに注意を向ける必要があるのかという問いだけである。

〈声《ヴォイス》〉ではなく〈出口《イグジット》〉を

いずれにせよリンドと「新反動主義者たち」はともに、民主主義とはたんになんらかの**システム**であるわけではなく（あるいはまったくそんなものなどではなく）、むしろ明白な方向性をもった一つの**ヴェクトル**なのだという点において、大まかな同意を見せているようにおもわれる。民主主義と「進歩的な民主主義」は同義であり、そこにはかならず国家の拡張がともなわれる。「極右的な」政府が一時的にこのプロセスを阻むこともごく稀にあったとはいえ、民主主義というヴェクトルが逆行することなど、それがもつ可能性を超えた事態なのである。選挙で勝利を収めることは圧倒的なまでに票の買収に左右される問題であり、（教育やメディアといった）社会にたいする情報提供機関はもはや、有権者にその力がないのと同様、政治家たちの贈収賄を抑止する力をもっていない。したがって倹約につとめるような政治家は、たんに競争力のない政治家を意味することになり、そしてそうした不適合者は、ダーウィニズムの民主主義版によって遺伝子プールから排除されることになる。以上のような事態こそが、左派が褒めたたえ、体制的な右派が不機嫌なままに甘受し、そしてリバタリアン的な右派がなんの効果もないままただ口汚く罵っている、目下の現実なのである。だがリバタリアンたちはだんだんと、人が「彼らに注意を向ける」かどうかを気にかけるのをやめはじめている——彼らはすでに、まったく別のものを探しはじめている。そのまったく別のなにか

（6）https://www.cato-unbound.org/issues/april-2009/scratch-libertarian-institutions-communities［リバタリアン系シンクタンクのケイトー研究所のサイト『ケイトー・アンバウンド』に掲載された、二〇〇九年四月のシンポジウム「ゼロからはじめる——リバタリアン団体と共同体」の議事録へのリンク。］

（7）https://www.cato-unbound.org/2009/04/13/peter-thiel/education-libertarian［ケイトー研究所のサイトに掲載された、同シンポジウムでのティールの発表原稿「あるリバタリアンの教育」へのリンク。］

（8）https://www.salon.com/2011/08/30/lind_libertariansim/［『サロン』誌に掲載されたリンドの記事「リバタリアンたちはなぜ独裁の弁明をするのか」へのリンク。リバタリアンの理論的な支柱の一つであるルートヴィッヒ・フォン・ミーゼスがムッソリーニを高く評価していたことや、その教え子であるハイエクがチリの独裁者アウグスト・ピノチェトに心酔していたことなどに言及しつつ、先のケイトー研究所でのシンポジウムを踏まえて、リバタリアニズムがもつ独裁的傾向を指摘する。］

とはすなわち、出口《イグジット》である。(9)

リバタリアン的な声《ヴォイス》が民主主義のなかでかき消されるのは構造的に避けられない事態であり、またリンドによるならそれは、そうであるべき事態でもある。そしてどうやらいま、多くのリバタリアンたちもまた、そのことに賛成しているようなのだ。歴史的に支配的なものだったそのルソー主義的な解釈にもとづくなら、「声《ヴォイス》」とは民主主義それ自体のことである。声《ヴォイス》は民衆の意志を代表するものとして国家を設計し、いかにして声《ヴォイス》を聞きとどけさせるかが政治そのものと同義であることになる。政治的な権利を付与された民衆による大衆的な自己表現としての選挙が、この世界を覆いつくす悪夢である以上、その喧騒にたいしてなにかを付けくわえたところで、そんなことにはなんの意味もないわけだ。〈平等〉対〈自由〉ではなく、〈声《ヴォイス》〉対〈出口《イグジット》〉、これこそが目下高まりつつあるオルタナティヴであり、ようするにリバタリアンたちは、声《ヴォイス》なき戦いを選択しているのだといえる。パトリ・フリードマンは次のように述べている。(10)「自由な出口《イグジット》はきわめて重要なもので、われわれとしてはそれこそが唯一の普遍的人権なのだと考えているほどです」。

筋金入りの新反動主義者からすれば民主主義とは、たんに絶望的なものであるわけではなく、それ自体が絶望そのものであることになる。そこから逃れていくことは、ほとんど至上命令のようなものなのだ。そういった反政治的なものを駆動する地下水脈は、目に見えてホッブズ主義的なものであり、それ自体として一貫性をもった暗黒の啓蒙とでもいえるものだ。そもそもそこには、民衆的な表現を求めるルソー主義的な熱狂がはじめからまったく備わっていない。政治に目覚めた大衆とはけっきょくのところ、合理性を欠いた暴徒なのだとあらかじめ判断するこの潮流は、民主化の力学を、根源的な退化へと向かうものだと見なす。つまり彼らにとってそれは、私悪やルサンチマンや欠陥を集団的な犯罪や包括的な社会の腐敗というレヴェルに達するまでに強化し、悪化させていくものなのである。民主主義的な政治家と有権者は、一方が他方の誘因となるような回路のなかに閉じこめられている。そしてその回路のなかで両者は、かつてないほどに恥知らずで極端なものと化している罵りあいや、我先にと相手に躍りかかるような共食いへと、おたがいに駆りたてあっている。もはや選択肢は二つに一つ、大声を張りあげて相手を批判するか、さもなくば相手に食べられてしまうかしかないわけだ。

文明を食らいつくす民主主義の破壊性

進歩的な啓蒙が政治的な理想状態を見いだすところに、暗黒啓蒙は民衆の食欲を見いだす。それは政府が民衆から生みだされるものであることを認めつつ、同時にその民衆がじつに貪欲な存在で

(9)［訳注］ドイツの政治学者アルバート・O・ハーシュマン（Albert Otto Hirschman）が提唱した概念をふまえた表現。ハーシュマンは、一九七〇年に発表された『離脱・発言・忠誠――企業・組織・国家における衰退への反応』（矢野修一訳、ミネルヴァ書房、二〇〇五年）において、企業や国家などを含めた広義の組織に参加するその成員が取りうる行動を、「離脱」（Exit：その組織から離れること）、「発言」（Voice：組織内部からの変革を目指すこと）、忠誠（Loyalty：戦略的に組織に従うこと）の三つに大別している。なお本書では、ランドの用法をふまえ、「出口《イグジット》」という訳語を採用した。

(10) https://www.seasteading.org/2008/05/nothing-against-bioshock/［フリードマンが海上自治都市建設のために立ちあげた分離主義的プロジェクト「シーステディング」のサイト内の記事「『バイオショック』は無関係」へのリンク。プロジェクトの空想性をTVゲームになぞらえた批判にたいして応答する。なお同記事はサイト内で移動されている。現在のURLは以下のとおり。https://www.seasteading.org/nothing-against-bioshock/］

あることを認めている。彼らから期待できるのは、考えうるかぎりもっとも合理性を欠いた反応なのだと判断するこの潮流は、気のふれたような破滅的で止めどないその暴食から、文明を逃れさせることだけを追求する。トマス・ホッブズ［Thomas Hobbes：哲学者］からハンス＝ヘルマン・ホッペ［Hans-Hermann Hoppe：リバタリアン経済学者、アナルコ・キャピタリスト］に至るまで、あるいはさらなるその後継者に至るまで、暗黒啓蒙は一貫して次のように問う。すなわち、いったいどうすれば、主権が社会を食らいつくすのを抑止することができるのか――あるいはすくなくとも、それを思い留まらせることができるのか。そしてこの問いにたいする民主主義的な「解決」を彼らは、せいぜいよくても笑うべきものとしか考えていない。

たとえばホッペは、アナルコ・キャピタリズム[11]的な「私法社会《プライヴェート・ロー・ソサイエティ》」[12]を擁護しているが、しかし君主制か民主制かという選択を前にしたとき、彼がためらうことはない（そして彼のその議論[13]は、厳密にホッブズ主義的なものである）。

世襲による独占者としての君主は、その支配下にある領土や人民を自らが所有する動産と見なし、そしてそうした「財産」の独占的な開発に従事することになります。ですが民主制下においても、独占権や独占的な搾取がなくなることはありません。そのなかで生じることになるのはむしろ、次のような事態です。つまり国家を自らの私有財産と見なすような君主や貴族階級の代わりに、一時的で互換性をもった管理人のような存在が、国家の独占的な運営に当たることになるのです。管理人は国家を所有するわけではありませんが、その任務に当たるかぎりで彼には、国家を自分自身やその庇護のもとにある者たちの利益のために利用することが許されることになります。彼は当面のあいだそれを利用する権利――つまり用益権《ユースフラクト》――を所有しますが、その資本金を所有するわけではない。こうした事態は搾取を排除するものではありません。反対に、それによって搾取はより大胆なものになり、資本金にたいする考慮をほとんどもたないままに、あるいはまったくもたないままに実行されることになるのです。結果として搾取は近視眼的なものになり、資本の消費は体系的に推進されていくことになっていきます。

複数政党からなる民主主義的なシステムによって一時的な権威を授けられた政治的主体は、あたうかぎり最大の俊敏さと包括性を備えた略奪的な社会を、他を圧倒するような激しさをもって（そしてじっさいに自分たちにも御しきれないまでに）要求していくことになる。彼らが盗まずにおくもの――あるいは「食卓のうえに残したままに」しておくもの――があるとしても、けっきょくはそのの――

（11）［訳注］anarcho-capitalism：政府の役割を最小限にすることを説く自由主義的な国家論（夜警国家論）をさらに徹底化し、社会福祉や国防、あるいは司法に至るまで、従来政府が担ってきたあらゆる分野を市場に委ねるべきだとする政治思想。

（12）［訳注］private law society：ホッペが民主制や君主制に代わる現実的なオルタナティヴとして提示した政治体制であり、自由な市場競争の結果として生じる一部の経済的エリートによって統治がおこなわれる社会のあり方。

（13）https://www.thedailybell.com/1936/Anthony-Wile-with-Dr-Hans-Hermann-Hoppe-on-the-Impracticality-of-One-World-Government-and-Western-style-Democracy.html［リンク切れ。ウェブ・メディア『デイリー・ベル』誌に掲載されたホッペのインタヴューで、次のＵＲＬにその再録が読まれる。https://mises.org/library/mind-hans-hermann-hoppe］

れも、彼らの政治的な後継者たちのものになっていく。彼らは先行する者たちと関係しているわけではなく、じっさいには対立しているのだが、自分たちの敵を害するためにこそ、入手可能なすべての資源を使いつくそうとするわけである。それがどんなものであれ背後に残されたものは、敵の手に渡る武器になる。だからこそ、盗むことのできないものは破壊してしまうのが最善の判断になるわけだ。民主主義的な政治家からすれば、（彼らに固有の）党派的な政策に直接には適合せず、そこから派生したものでもないような社会的な財は、完全に無用の長物であり、なんの役にも立たないものと見なされる。だが一方で、どれだけ痛ましい社会的な不幸であっても――それを先立つ政権のせいにできたり、のちにつづく政権まで延期することができるなら――、合理的な計算からいって、彼らにとってそれは、一つのあきらかな恩恵だと見なされることになる。古い意味での（つまり旧《オールド》ホイッグ的な意味での）社会的な進歩を構成するような、長い射程をもった技術的・経済的な発展や、それにともなって生じる文化資本の蓄積を、自らの政治的な利益と考えるような者たちは、もうどこにも存在していない。一度でも民主主義が繁栄してしまえば、そうした者たちはすぐさま、絶滅の脅威に直面することになってしまう。

それを一つのプロセスとして考えた場合、文明とは、時間選好率(14)を低下させること（いいかえれば、未来にたいする関心と比較した現在にたいする関心を減少させること）と切り離すことのできないものだ。だが民主主義は、その理論の水準から見ても明白な歴史的事実の水準から見ても、我先にと貪るような状態にまで時間選好率を上昇させていくものである。したがってそれは、致命的な野蛮さやゾンビ・アポカリプスへといたる社会的な崩壊を即座にもたらすものではないにしても、他のなににもまして文明の否定そのものへと接近していく（そしていずれにしろそれは、やがてそうした崩壊状態を招くことになる）。民主主義というウイルスが社会を覆いつくしていくにつれて、苦心して積みかさねてきた習慣や、先を見越して思考する態度、あるいは慎重になされる人的かつ産業的な投資といったものは、その場の勢いだけの不毛な消費主義や財政上の無節制、そして「リアリティ・ショー」的な政治のサーカスに置きかえられてしまうことになる。将来は別の誰かのものになってしまうかもしれないのだとしたら、なされるべきはいまこの瞬間にそのすべてを食らいつくしてしまうことなのだというわけである。

民主主義のオルタナティヴは存在するのか

ウィンストン・チャーチル［Winston Churchill：二〇世紀の政治家、第二次大戦期のイギリス首相］は、まるで新反動主義者のような口ぶりで、「民主主義に反対するための最良の議論は、どこにでもいるような有権者と五分間でも喋ってみることだ」と述べたが、どちらかといえば彼は、「民主主義は最悪の統治の形態である、ただしこれまで試みられてきた他の形態を除外すればだが」と発言したことの方で知られている。当人がはっきりと認めているわけではないが、この発言の言外の意味は明白である。つまりそれは、「なるほど、民主主義はたしかに最悪かもしれない（じっさいそれは**本当に**最悪だ）、だがいったいなにがそのオルタナティヴになるというのか」と述べているわけだ。こうした感覚が広く一般に共有された状態は、現代の保守たちにとって魅力的なものである。というのもそれは、無慈悲な文明の退廃を、しかめ面をして幻滅とともに甘受する彼らの立場

（14）［訳注］将来に消費することよりも現在に消費することを好む程度を示す経済学上の指標。

と共鳴するものだからだ。またそれは、そうした立場にともなって生じている資本主義にたいする彼らの知的な理解と共鳴するものでもある。その理解とはつまり、資本主義とは、破局をもたらすようなものであったり、あるいはたんに実行不可能であったりするようなオルタナティヴが退けられたあとも残存していくものであり、食指は動かないが排除することもできないデフォルトの社会制度なのだというものである。こうした理解にもとづいているかぎり市場経済は、政治的に荒廃したこの世界の廃墟のなかで、自らの崩壊をなんとかして繋ぎとめようとする姑息な生存戦略にすぎないものになる。おそらく事態はこれからも、永遠に悪化していくことになるだろう。もうどうしようもないことなのだ。

以上を踏まえたうえで、民主主義にたいするオルタナティヴは本当に存在しないのだろうか（だがいうまでもなくこの点で、一九三〇年代にありえたなにかを隈なく調べてみても無駄である）。「二一世紀のポスト民衆的な社会をイメージすることは可能だろうか。東ヨーロッパが共産主義から立ち直ろうとしているように、民主主義からの回復としてそれを思い描くことはできるだろうか」。新反動主義における最大のシス卿[15]であるメンシウス・モールドバグ[16]はそんなふうに問い、そして答えている。「おもうに、きっとそれを成しとげるのはわれわれのうちの誰かになるはずだ」。

メンシウス・モールドバグの「新官房学《ネオカメラリズム》」[17]

モールドバグはオーストリア学派の流れをくむリバタリアンから影響を受けて自らの立場を形成してきたが、そこに留まることはない。彼は次のように述べている。

（……）リバタリアンには自分たちの戦いが勝利を収め、そして勝ちつづけていくことになるような、そんな現実的な世界の絵図を示すことができない。国家が自然に坂を転げ落ちていくことになるような世界を押しすすめる方法を求めながら、けっきょく彼らがやっているのは、目の前に立ちはだかる丘を補強することでしかない。そういった見通しはシジフォス的なものであり、彼らの立場がほとんど支持者をもたないのも無理のないことである。(18)

新反動主義にたいする彼の覚醒は、主権を消しさったり、檻に入れたり、統制したりすることはできないのだという（ホッブズ主義的な）認識とともにもたらされている。アナルコ・キャピタリスト的なユートピアがSFのなか以外で具体化されることはありえず、分割された権力は、粉々になったターミネーターがそうであるようにやがてまた一つに合流し、そして憲法は、主権による解釈という権力がそれに与えるとおりのすがたで現実的な権威をもつことになる。国家はいまあるま

(15)［訳注］映画『スター・ウォーズ』シリーズで用いられる用語。怒りや憎しみといった負の感情が生みだす、その「暗黒面《ダーク・サイド》」における力《フォース》を信奉するキャラクター。容姿は人類に似ているが、その顔には触手がある。

(16) http://unqualified-reservations.blogspot.com/［モールドバグ（Mencius Moldbug）のテクストをアーカイヴするサイト『留保なき制限』(unqualified reservations) のトップ・ページへのリンク。］

(17)［訳注］一九世紀末から二〇世紀初頭のウィーンで形成された経済学の学派の一つ。人間の主観的な消費行動を理論化した限界効用理論をもとに、政策的に景気循環を促すマクロ経済学を否定、政府による市場介入や中央銀行制度を退ける。

(18)［訳注］モールドバグの記事「体制の変化についての追記」からの引用。以下のURLを参照。https://www.unqualified-reservations.org/2007/09/further-conversation-on-regime-change/

まに留まりつづける。なぜなら、――それに携わる者たちからすれば――国家とは、手放すにはあまりにも惜しいものであり、社会のなかで主権が集中的に具体化された状態として、誰にもそれ以上のものを望みえないものだからだ。それを踏まえてモールドバグは、次のように議論をすすめる。国家が消しされないものだとしても、すくなくともそこから**民主主義**を（ないし体系的なかたちで退化をもたらすような悪しき統治を）取り除くことはできる、そしてそのための方法は国家を**形式化**することだ。それこそが、彼が「新官房学《ネオカメラリズム》」(19)と呼ぶアプローチである。

新官房主義者《ネオカメラリスト》からすれば、国家は一つの国を所有するビジネスとなる。他の大規模なビジネスと同様に国家は、形式上のその所有者を、それぞれが国益の正確な一部分に対応するような流通性のある株式へと分割するかたちで経営されるべきものとなる（よって首尾よく機能している国家は、多くの収益を生むものになる）。それぞれの株式には一票の投票権があり、株主は経営陣の雇用や解雇を決定する役員を選出する。

このビジネスにおける顧客はその住人である。収益を生みだすものとして経営される新官房学《ネオカメラリズム》的な国家は、他のビジネス同様その顧客にたいし、効率的で効果的なサーヴィスを提供する。したがって統治の不振は経営の不振を意味することになる(20)。

新官房学《ネオカメラリズム》の三つの要点――脱神話化、支配的存在の特定、「企業としての政府《ガヴァーンメント・コーポレーション》」の運営

なによりもまず第一に、国家は市民に「属している」のだという民主主義的な神話が打ち砕かれる必要がある。新官房学《ネオカメラリズム》の要点は、主権のなかからその真の利害関係者を買収してしまい、大衆に

たいする自治権の付与などという感傷的な嘘を消滅させてしまうことにある。国家の所有権が、形式的にそのじっさいの支配者の手に渡らないかぎり、新官房学《ネオカメラリズム》的な変化はけっして起こりえず、権力は影のなかに留まり、民主主義という茶番劇がいつまでも継続されることになるだろう。

　したがって第二に、妥当性をもったかたちで支配階級が特定されなくてはならない。そのさいにすぐに指摘されるべきは、社会分析にかんするマルクス主義の諸原理とは対照的に、支配階級とは、「資本主義的なブルジョワ」を意味することはないということである。論理的に考えてそれはありえない。ビジネス階級がもつ権力は、財政上の基準にもとづいて、あらかじめはっきりと形式化されており、したがって資本と政治権力を同一化することは、完全に冗長なことなのである。むしろ必要なのは、**資本家が政治的な恩恵の見返りとしていったい誰にたいして支払っているか**を見極め、そうした恩恵の数々はどれほどの潜在的な価値をもち、それらを保証している権威がどのように配分されているかを見極めることだ。そしてそれを踏まえたうえで、道徳的な領域になどほとんどかかわることのないまま、政治的な賄賂（すなわち「ロビイング」と呼ばれているもの）がかたちづくる社会の状況全体を正確にマッピングすることや、そうした賄賂によって利用可能となる、

（19）［訳注］neo-cameralism：フリードリヒ二世を頂点として一八世紀プロイセンで栄えた、国政が限られた王の重臣によって（すなわち、ラテン語で「小さな部屋」を意味する「カメラ camera」＝「官房」のなかで）暗黙裡にとりおこなわれる重商主義的な統治を確立するための学問である「官房学」を踏まえた、モールドバグの造語。

（20）［訳注］モールドバグの記事「政治的自由に抗して」からの引用。以下のＵＲＬを参照。https://www.unqualified-reservations.org/2007/08/against-political-freedom/

行政や立法や、司法やメディアや、そして高等教育にかかわる特権を、それぞれの特権に相当する株式へと換算していくことが要請される。有権者が賄賂を与えられる価値をもつかぎりで、彼らをこの計算から全面的に排除する必要はないが、彼らに割りあてられた主権は、しかるべき嘲笑をもって評価されることになるだろう。以上のような実践の結果として、資本主義的な政治形態において真に権力をもった審級である支配的な存在のマッピングがおこなわれることになる。モールドバグはその支配的存在のことを、〈**大聖堂**《カテドラル》〉と呼んでいる。

第三に、政治権力の形式化によって、効果的な統治の可能性がもたらされることになる。民主主義がもたらす汚職の領域が、**企業としての政府**《ガヴァーコープ》内における（自由に譲渡可能な）株式の保有へと変換されると、国家の所有者は、CEOの任命を手はじめとして、合理的な企業経営を開始することができるようになる。他のビジネスの場合と同様、国家の関心事は、長期的な株主価値の最大化というかたちで正確に形式化されることになる。それがどのようなものであれ、もはや住民が（つまり顧客が）、政治にたいして興味をもつ必要はなくなる。じっさいそんなものに興味をもつことは、ほとんど犯罪的ともいえるような性向を晒すことを意味することになっていく。**企業としての政府**《ガヴァーコープ》が、住民の支払う税（つまり主権が生みだす超過利潤）にふさわしい価値を提供することができない場合、住民はカスタマー・サーヴィス部門に届けでることができ、そして必要とあらば、自らの税を別の場所へと移すことができる。**企業としての政府**《ガヴァーコープ》は効果的で、魅力的で、活気にあふれ、清潔で、安全な国の運営に、ようするに顧客を惹きつけることのできるような国の運営に注力していくことになるだろう。声などどこにもない《ノー・ヴォイス》、ただ自由な出口《フリー・イグジット》だけがある。

（……）完全な新官房学《ネオカメラリズム》的なアプローチはいまだ試みられたことがないが、歴史上それにもっとも近いものとしては、フリードリヒ大王(21)に代表されるような一八世紀の啓蒙的な絶対王政の伝統や、香港や上海やドバイといった、かつての大英帝国の断片に見られるような二一世紀の非民主主義的伝統が挙げられる。こうした国家は、有意味なものとしての民主主義をまったくともなわないままに、市民たちにたいしてひじょうに質の高いサーヴィスを提供している。犯罪率はきわめて低く、個人や経済の自由は高いレヴェルにあり、全体として今後も繁栄していく傾向にある。政治的な自由度のみ低いが、しかし政府が効率的で安定したものである場合、政治的な自由などあきらかに重要なものではない(22)。

民主主義の宗教性とその系譜

ヨーロッパの古典古代において民主主義は、周期的な政治的発展において頻繁に見られ、基本的に衰退していく定めにある一つの段階として、つまり専制政治へと移行する前段階として認識されていた。こんにちではこうした古典的な認識は完全に失われ、グローバルな民主主義というイデオロギーへと置きかえられてしまった。そしてそのイデオロギーはいま、批判的な自己反省をまったく欠いたまま、信頼すべき社会科学的なテーゼとしてではなく、あるいは自発的な民衆たちの夢と

（21）［訳注］一八世紀プロイセンの君主フリードリヒ二世の尊称。一般に、上からの近代化をおこなった啓蒙専制君主の代表的な例とされる。

（22）［訳注］次の引用と併せて、モールドバグの記事「政治的自由に抗して」からの引用。以下のＵＲＬを参照。https://www.unqualified-reservations.org/2007/08/against-political-freedom/

してですらなく、歴史のなかの特定の地点に同定できるような一つの宗教的信仰として主張されている。

（……）私が〈普遍主義〉と呼ぶ、目下広く受けいれられている伝統とは、非有神論[23]的なキリスト教的セクトのことである。同じその伝統に貼られるレッテルとしてはたとえば、程度の差はあれどれも同じような意味だが、進歩主義、多文化主義、自由主義、人間主義、左翼主義、政治的正しさ《ポリティカル・コレクトネス》などが挙げられる。（……）〈普遍主義〉は、現代において支配的なキリスト教の流派である。それはカルヴァン主義の伝統に連なるもので、イギリスの国教反対派[24]やピューリタンの伝統に端を発し、ユニテリアン派[25]、超絶主義者《トランセンデンタリスト》[26]、そして進歩主義運動[27]という流れのなかで発展してきた。たがいにもつれあったその先祖たちのなかには、いくつかの傍系といえるような発生源が含まれ、そのどれもが名指しておくだけの重要性をもつものだが、いずれにしてもそのキリスト教的な起源はみな巧妙に隠蔽されている。そのなかにはたとえば、ルソー主義的世俗主義、ベンサム主義的功利主義、ユダヤ教改革派[28]、コント主義的実証主義、ドイツ観念論、マルクス主義的科学的社会主義、サルトル主義的実存主義、ハイデガー主義的ポストモダニズム……等々が含まれ、その他にもまだ多くのものが挙げられる。（……）私見によれば、〈普遍主義〉にたいするもっとも分かりやすい説明は、**権力にたいする神秘的でカルト的な崇拝**というものである。（……）蚊を媒介にしないマラリアを想像するのが難しいように、国家とかかわることのない〈普遍主義〉を想像するのは難しい。（……）重要なのは、それをなんと呼ぶにしろこの傾向は、少なくとも二〇〇年以上、あるいはおそらく五〇〇年以上の歴史をもつものだということである。基本的にそれは、宗教改革そのものなのだ。（……）。だがそれに近づいて、悪しきものとしてそれを非難してみたところで、簡易裁判所でシュブ＝ニグラス(29)を告訴するのと同じような結果にしかならないだろう。

容赦なく全体主義化する(30)国家の拡張、独断的で誤った「人権」の蔓延（強制的な官僚主義を後ろ盾にした、他者のもつ資源にたいする権利の要求）、政治化された通貨、無謀で福音主義的な「民主主義

(23)［訳注］宗教的か非宗教的かを問わず、神を前提にはしない広義における信仰上の立場。神は存在するが人間には認識できないとする宗教的な不可知論から、神の存在を否定し信仰そのものももたない積極的な無神論までを含む射程の広い概念。
(24)［訳注］一六世紀の宗教改革を経て成立したイギリス国教会と対立した、ピューリタンをはじめとするプロテスタント諸派の総称。
(25)［訳注］宗教改革後の分裂のなかで生まれたプロテスタントの一派。合理主義的聖書解釈によって三位一体説を否定し、神の唯一性を強調する。
(26)［訳注］一九世紀前半、ニュー・イングランド諸州に渡っていたユニテリアン派を中心として生まれた宗教色の強いロマン主義運動の一種。神秘主義にも接する強い倫理性をもつ。
(27)［訳注］一九世紀後半から一九二〇年代にかけてアメリカでおこなわれた、社会や政治の全域にかかわる改革運動。自由放任の結果生じた寡頭支配にたいして、連邦政府が積極的に介入していくことを提唱。しばしばこんにちのリベラリズムの萌芽と見なされる。
(28)［訳注］ヘブライ語以外での礼拝を認めるなど、リベラルな信仰のかたちを許容するユダヤ教流派の総称。
(29)［訳注］Shub-Niggurath：二〇世紀アメリカの小説家Ｈ・Ｐ・ラヴクラフトを中心とした作家たちのサークルが共同で創作した神話体系であるクトゥルー神話に登場する邪神。

のための戦争(31)」、そして〈普遍主義〉的なドグマを弁護するために配備された包括的な思想統制(その結果として科学は、政府の広報へと堕することになる)。たとえば以上のようなものとして特徴づけることのできるわれわれのいまの窮状が、いったいどのようにして生じてきたものなのかを理解するためには、モールドバグがそうしてみせるとおり、いかにして「イギリスからの植民者たちが最初に栄えたニュー・イングランド諸州の中心である」マサチューセッツがこの世界を支配することになったかを問うてみる必要がある。時代が進んでいくにつれ、健全な政府にかんする国際的な理想は、ニュー・イングランド諸州の大学の苦情処理研究(32)を専門とする学科の数々が設定した標準に、より厳密に近似したものになっていく。それは大げさに騒ぎたてる連中《ラ ン タ ー ズ》や平等主義者たち《レ ヴ ェ ラ ー ズ》(33)が掲げる神の摂理であり、そしていまやそれは、惑星規模の神学にまで高められ、〈大聖堂《カテドラル》〉による支配のなかで整理統合されている。

ようするに、われわれがいままでに知っていたことのすべては、〈大聖堂《カテドラル》〉によるその福音によって置きかえられてしまったのだ。この点については、アメリカ建国の父たちによって表明された懸念を考えてみるだけで十分だろう(以下のリストは、このリンク先(34)のコメント欄の最初の投稿のなかで、ハンドルネーム「自由にたいする執着家」によってまとめられたものである)。

民主主義は衆愚政治《モブ・ルール》に他ならないものであり、民主主義下においては、五一%の者たちによって、残りの四九%の権利が奪いさらされることになる。

——トマス・ジェファーソン[Thomas Jefferson:第三代アメリカ合衆国大統領]

民主主義とは、二匹の狼と一匹の羊が、昼食になにを食べるかをめぐって票を投じあうことだ。自由とは、得票を競うために巧みに武装した羊のことなのである。

——ベンジャミン・フランクリン〔Benjamin Franklin：政治家、物理学者、合衆国憲法に署名〕

（30）https://www.takimag.com/article/when_democracy_murders_liberty/〔保守派のウェブ・メディア『タキズ・マガジン』に掲載された歴史学者ポール・ゴットフリート（Paul Gottfried）による記事「民主主義が自由を殺すとき」へのリンク。リベラルな民主主義が深めている「左派的な全体主義的傾向」に警鐘を鳴らす。〕

（31）http://original.antiwar.com/justin/2012/02/09/the-cairo-19-got-what-they-deserve/〔リバタリアン系のウェブ・メディア『アンチ・ウォー・ドットコム』に掲載されたジャーナリストのジャスティン・レイモンド（Justin Raimondo）による記事「「カイロの一九人」は当然の報いを受けただけだ」へのリンク。エジプトの民主化のために活動していたアメリカのNGO職員がカイロ当局に起訴された事件にたいするリベラル側の擁護を批判する。〕

（32）〔訳注〕the Grievance Studies：実在する特定の学問分野というわけではなく、マイノリティの待遇改善を目指す社会科学の分野全般を一括し、それにたいする蔑称としてこのように呼んでいるのだろう。

（33）〔訳注〕直接的には前述の「苦情処理研究」の担い手たちを揶揄した表現だが、同時にまた、ピューリタン革命時の宗派闘争における左派の運動を意味する、喧騒派《ランターーズ》や水平派《レヴェラーズ》という歴史的な固有名が喚起され、その宗教性が強調されている。

（34）https://pjmedia.com/spengler/2012/02/09/robert-kagan-and-muslim-democracy/2/〔ドイツの歴史学者オズヴァルト・シュペングラー（Oswald Spengler）から取られた筆名「シュペングラー」としても知られるジャーナリスト、デーヴィッド・P・ゴールドマン（David Paul Goldman）によって書かれた、中東のイスラム諸国にたいする民主化の必要性を説く保守派の歴史学者ロバート・ケーガン（Robert Kagan）の著作にたいする批判的書評。なお、コメント欄はすでに閉じられており、現在では以下に引用されているコメントを確認することはできなくなっている。〕

民主主義は絶対に永くは続かない。それは早晩それ自体を摩滅させ、使いはたし、そして殺してしまう。自殺へと至ることのないような民主主義は、いまだ一度も存在していない。

——ジョン・アダムス［John Adams：第二代アメリカ合衆国大統領］

民主主義はもうずっと、騒乱や諍いの見世物でありつづけている。それは個人の安全や財産権とは両立しないものと見なされつづけている。そして一般的にいってそれは、それが機能しているうちには不足を生み、そしてそれが終わるさいには暴力を生みつづけている。

——ジェームズ・マディソン［James Madison：第四代アメリカ合衆国大統領］

われわれは共和主義的な政府であり、真の自由が、専制や民主主義のもたらす極端さのなかに見いだされることはありえない。（……）もしそれが実践可能なものであれば、純粋な民主主義こそがもっとも完璧な統治のかたちである、これまでずっとそう述べられてきた。だがこれほどに間違った見解が存在しないことは、経験によって証明されている。民衆たちが自分たち自身で物事を評議した太古の民主主義が、よき統治の特徴となるようななにかを手にすることは、ただの一度もありえなかった。それがもちえた性格は、専制政治に他ならないものだった（……）。

——アレクサンダー・ハミルトン［Alexander Hamilton：政治家、合衆国憲法制定会議を発案］

民主主義から立ちさるべき根拠となる点（そしてモールドバグの燃えあがるような才能を示す点）

は、以上で終わりではない。先へと進もう……。

追記（[二〇一二年］三月七日）

上記で「ベンジャミン・フランクリン」のものとした引用は信用しないこと。バリー・ポピック［Barry Popik：語源学者］によればこの言い回しは、ジェームズ・ボヴァード［James Bovard：リバタリアン、ジャーナリスト］によって一九九二年に作りだされたものである。ボヴァードは別のところで、次のようにも述べている。「政治的な思考において、民主主義と自由を同等に扱うことほど危険な間違いはほとんど存在していない」。

PART 2

歴史の描く弧は長い、だがそれはかならず、ゾンビ・アポカリプスへと向かっていく[35]

歴史を遡り、民主主義と自由が相反するものであること、避けがたく経済的な共食い構造を生みだすものであることを指摘するランドは、慢性的な経済危機にあるギリシャのような破局へと至ることを回避するためには、社会を積極的に脱連帯化《ディスソリダリゼーション》することが必要なのだと説く。つまり、独自の圏域を構成することによって民主主義的な文化圏からの分離・断片化をおこない、統合的でグローバルな全体を構成する局所的《ローカル》な一部分であることをやめなくてはならない、というわけである。

また一方でランドは、ふたたびモールドバグの議論に依りつつ民主主義の発生源をたどり、その起源にある「ミーム状のウイルス」を、ピューリタン革命という宗教的な出来事に特定し、いまや世界的な覇権を握ったこの宗教的なウイルスが目下どれほど人の言動を限界づけているものなのかを、進化生物学者リチャード・ドーキンスの人種主義をめぐる曖昧な発言のなかに突きとめていく。議論は啓蒙的な諸価値の外へと向かい、「暗黒啓蒙」の「暗黒」たる所以がはっきりとあらわれはじめる。

デヴィッド・グレーバー［David Graeber：アナキスト人類学者、活動家］：「私にとって衝撃的だったのは、このことをその論理的な結論まで追究していくかぎりで、真の民主的な社会を手にする唯一の方法は、同時にそのまま、この国のなかで資本主義を廃絶する方法になるのだということです」。

マリーナ・シトリン［Marina Sitrin：ライター、弁護士、活動家］：「資本主義があるかぎり民主主義はありえません。（……）民主主義と資本主義が同時に機能することはないのです」。

（このサイト[36]を参照、なお閲覧にあたってはジョン・J・ミラー[37]［John J. Miller：保守派ジャーナリスト］の記事を経由した）

歴史にはつねに問題がついてまわるものだ。一見すればそれはつねに片付いたかの

（35）［訳注］二〇一二年三月九日更新。なおこのタイトルは、奴隷解放論者でユニテリアン派の牧師であったセオドア・パーカー（Theodore Parker）の言葉、「道徳的世界《モラル・ユニヴァース》の描く弧は長い、だがそれはかならず、正義へと向かっていく」を踏まえたもの。公民権運動時にキング牧師によって取りあげられたこの言葉は、以降彼が述べたものとして一般に広まり、ワシントンD.C.にあるキング牧師の記念碑の一つにも刻まれている。また二〇〇九年には、大統領就任後のバラク・オバマの演説のなかでも繰りかえされ、進歩主義運動のスローガンの一つとしてあらためて周知されることになる。

（36）https://www.thecollegefix.com/occupy-movement-wants-to-abolish-capitalism/

ように見える。だがそんなことは一度もない。(メンシウス・モールドバグ[38])

民主主義は自由を根絶させる

「民主主義」と「自由」という語を同時にグーグル検索することには高い啓蒙的効果がある。ただし、暗黒の啓蒙という意味において。少なくともサイバースペース上を見るかぎり、この二つの言葉が肯定的なかたちで組みあわされると考えているのは、めったにいない少数派だけである。グーグルという蜘蛛とそのデジタル上の獲物という関係のなかで判断がなされる場合、たとえそこに誰もが知るようなあきらかな関連が見られたとしても、そうした関連はあくまで分離可能なものになり、あるいは敵対的なものと化して、そしてそのうえで、民主主義は自由にとっての致命的な脅威をもたらすものであり、やがて確実にそれを根絶させるものなのだという反動的な洞察が引きだされることになる。民主主義にとっての自由とは、ガルガンチュワ[39]の前に差しだされたたった一つのパイのようなものなのである(「きっと分かってもらえるでしょうが、われわれは自由が大好きなのです、それはもう腹の虫が鳴きやまず、よだれがとまらないほどに……」)。

スティーヴ・H・ハンケ[Steve H. Hanke:リバタリアン経済学者、ケイトー研究所上級研究員]は、「民主主義対自由」と題された論考[40]のなかで、アメリカの経験に焦点を絞ったうえで、この問題にかかわる事例を説得的に整理している。

大部分のアメリカ人を含む多くの人々はきっと、独立宣言(一七七六年)やアメリカ合衆国憲法(一七八九年)のなかに「民主主義」という言葉が出てこないことを知って驚くはずだ。彼らはまた、アメリカ合衆国の建国にかかわる資料のなかに民主主義という言葉が不在である理由を知って衝撃を受けるだろう。プロパガンダが世論に信じこませようとしていることとは反対に、アメリカの建国の父たちは民主主義にたいして懐疑的であり、その行く末を不安視していた。彼らは多数派による専制をともなうその有害性に気づいていた。合衆国憲法の起草者たちは連邦政府が多数派の意志のもとに築かれたものではないことを、ひいては、それがなんら民主的なものなどではないことを保証するためならどんな苦労も惜しまなかった。

憲法の起草者たちが民主主義を採用していなかったのだとしたら、ではいったい彼らはなにを

(37) https://www.nationalreview.com/corner/abolish-capitalism-john-j-miller/ ［直前のリンクとこのリンク先に読まれるのは、二〇一二年二月、オキュパイ運動のさなかにニュースクール大学で開かれた、同運動をめぐる活動家、知識人たちによるシンポジウムを紹介する、右派系の学生ジャーナリズムサイト『ザ・カレッジ・フィックス』による記事と、その記事を紹介する『ナショナル・レヴュー』誌でのミラーによる記事。どちらも、登壇者であったグレーバー、シトリンの上記の発言をとくに抜きだして引用したうえで、広義の民主主義者たちによるこのシンポジウムが、「資本主義の廃絶」を説くものだと強調している。なお、発言の一部を抜きだしたものであるため、グレーバーの発言のうちの「このこと」(this) がなにを指すかは不詳。］

(38) http://unqualified-reservations.blogspot.com/2007/04/jaroslav-haek-and-kernel-monitor-meme.html ［リンク先にあるのはモールドバグによるチェコの小説家ヤロスラフ・ハシェク論だが、そのなかにここに引用されている文章は確認できなかった。］

(39) ［訳注］一六世紀の人文主義者フランソワ・ラブレーによる小説『ガルガンチュワとパンタグリュエル』の主人公で、きわめて大食漢な巨人の王。

(40) https://www.cato.org/publications/commentary/democracy-versus-liberty ［ケイトー研究所のサイトに掲載された同記事へのリンク。］

信奉していたのか。一人の例外もなく彼らが賛同していたのは、政府が目的とするべきなのは、生存、自由、財産の所有という、ジョン・ロックの述べた三幅対のなかで市民の安全を保障することなのだという考え方だった。

つづけてハンケは次のように述べている。

憲法とはなによりもまず第一に、誰が権力を行使すべきか、そしてそれがどんなふうに行使されるべきかを条文化する、組織の構造とその手続きにかかわる文章である。したがって権力とその監査機構の分離や、システム内における均衡には、相応の力点が置かれることになる。憲法は社会工学のためのデカルト主義的な構成物でも公式の類でもなく、民衆を政府から守るための盾だった。ようするにそれは、政府を制御するために設計されたものだったのであり、民衆を統治するために設計されたものだったわけではないのである。

権利章典は、国家によってもたらされる侵害行為にたいする民衆の権利を規定している。権利章典にもとづいて市民が国家に要求しうるのは、陪審員による裁判にかかわるものだけである。それ以外の市民の権利はむしろ、彼らを国家から保護することに関係するものだ。憲法が批准されてからおおよそ一世紀のあいだ、合衆国内における私有財産や各種の契約、およびその内部での自由な貿易は、あくまで神聖不可侵なものだった。政府の介入する範囲とその介入の度合いは、相当に制限されたままだった。こうしたことのすべては、自由であるとはどういうことなのかをめぐってその当時理解されていたことと、完全に一致するものだったわけである。

民主主義は非生産的なものであり、寄生的なものである

反動の精神がシスの触手を脳のなかへと滑りこませていくほどに、古典的な（あるいは非共産主義的な）進歩主義の語りが、いったいなぜ理にかなうものとされていたのかをおもいかえすのは困難になっていく。民衆はなにを考えていたのか。過度に力を与えられたポピュリスト的で共食い的な国家にたいして、彼らはいったいなにを期待していたというのか。それがやがて惨事を招くことなど、完全に予測できる事態だったのではないのか。ホイッグ党員であることなど、いったいどうすれば可能だったのか。

根本的な民主化を目指す動向がイデオロギー的に信頼できるものなのかどうかという点は、いうまでもなく問題にならない。（キリスト教的な進歩主義者の）ウォルター・ラッセル・ミード［Walter Russell Mead：保守派の政治学者］から、（無神論的な反動主義者の）メンシウス・モールドバグまでの幅をもった思想家たちがあますところなく述べているとおりだが、そうした動向は、極度にプロテスタント的な宗教的熱狂と厳密に一致するものだ。したがってそれが革命的な感情を駆りたてる力をもっているのもまったく当然のことだといえる。マルティン・ルターが教皇の権威に挑んだわずか数年間のあいだに、農民からなる反逆者たちは、ドイツ全土にわたってその階級的な敵を絞首刑に処しつづけていたのだった。

一方で、民主主義の進展が経験的に信頼できるものなのかどうかという点は、はるかに混乱を生むものであり、また真に複雑なものである（つまりそれは論争を誘発するようなものであり、より正確にいえば、データベース化され、厳密に議論されるに値するものだということだ）。その理由の一つとし

ては、民主主義の近代的な布置が、それよりもはるかに広い射程をもったモダニズム的な傾向の発展のなかで生じていることが挙げられる。そうした傾向をかたちづくる科学技術的、経済的、社会的、政治的な構成要素は、誤解を招きかねない相互関係や誤った因果性の連鎖によって、曖昧なままに関連しあい、たがいに組みあわさっている。シュンペーター［Joseph Schumpeter：オーストリア学派の経済学者］が述べているとおり、産業資本主義には、最終的には不況をもたらすような民主主義的で官僚主義的な文化を生みだす傾向があるわけだが、それでもやはり民主主義は、物質的な進歩と「協働している」ように見えかねないものなのだ。遅行指標[41]を誤って肯定的な決定要因と見なすことは容易に起こりうる事態であり、とくになんらかのイデオロギーに没頭した状態がそうした誤解にバイアスを与えている場合は、なおさらそうした事態が生じてしまう。おそらく民主主義は、癌細胞が生きている生物だけを蝕むのと同じ意味において、――もっともらしい理由をともないながら――生命力そのものと協働しているのだろう。

ロビン・ハンソン［Robin Hanson：経済学者］は、（丁寧に諭すようにして）次のように指摘している。[42]

たしかに、一世紀ほどのあいだ、多くの経済的な潮流が見通しのあかるいものでありつづけたことは事実であり、そしてまたたしかに、この事実は、そうした潮流の数々が、一世紀ほどのあいだは上昇しつづけていくものだということを示唆してもいるだろう。しかしだからといって、現代版のケネディ的な政治的探求に加わるなら、「貧困や災害や専制、そして戦争を終わらせる」ことができるのだというような発想を、「ユートピア的な幻想」だと見なす学生たちが、経験的にであれ道徳的にであれ間違っているのだという結論になるかといえばそれは否である。なぜか。なぜならそれは、問題となるような領域における近年の肯定的な潮流がそういった政治的な運動によってもたらされるケースは、数えるほどしか存在していないからだ！　そういった傾向はもっぱら、産業部門での革命によって人々が豊かになってきたという事実によってもたらされている。だが政治的な運動はどちらかといえば、そうした出来事を月並みなものへと引きもどそうとする傾向をもつものだったのだ。

単純な歴史の年表からでも分かることだが、漸進的な民主化から産業化が派生するのではなく、逆に産業化の方がその土台をなすものである。こうした理解にもとづいて、通俗的な社会科学理論にかんする、目下広く受けいれられている学派が生みだされてきた。この学派によるなら、民主主義的な傾向へと向かっていく社会の「成熟」というものは、物質的な豊かさや中産階級の発生によって測定されることになるのだとされる。だがそういった発想と論理的な厳密さをもって相関するものである次のような考え、すなわち、物質的な進歩との関連のなかで見た場合、民主主義それ自体は、**基本的に非生産的なもの**なのだという考え方の方は、たいていの場合強調されることがない

(41)［訳注］全体的な景気の変動にやや遅れて変化する傾向をもった経済指標の一種。

(42) http://www.overcomingbias.com/2012/02/is-pessimism-immoral.html［自身のサイトに掲載されたハンソンの記事「悲観主義は不道徳か」へのリンク。ハンソンはここで、現代の学生たちが、自身の理想を述べたJ・F・ケネディのかつての演説を端的に実現不可能なものだと見なしていることを受け、彼らの悲観主義を嘆いてみせる科学ジャーナリストのジョン・ホーガン（John Horgan）にたいして、引用のとおり反論している。］

ままに留まっている。民主主義は、進歩を使い果たし、食べ尽くすものなのである。したがって暗黒啓蒙の観点から見た場合、民主主義的な現象を対象とする研究にふさわしい方法は、一般寄生虫学《ジェネラル・パラサイトロジー》なのだといえる。

社会を脱連帯化《ディスソリダライズ》せよ

文明を食い荒らす民主主義という害虫の大量発生にたいして中途半端にリバタリアン的な対応をするだけでは、暗黙のうちにそれを容認してしまうことになる。隅々までゾンビ・ウイルスに感染した人々が、足を引きずりふらつきながら共食いによる社会の崩壊へと向かっていくことを考えるなら、採られるべき選択は強制的な隔離である。そしてそのさいに不可欠なのは、単純に外部とのコミュニケーションを遮断することなどではなく、フィードバック・ループ(43)を強化することで、能うかぎり最大の強度にまで高められた自分たちの行動の結果のなかに人々を投げだしていく社会を、その機能の面において脱連帯化《ディスソリダリゼーション》していくことだ。社会的な連帯によるのでは、まったく反対に、寄生虫の味方をすることになってしまう。その根本から民主化されてしまった社会は、（マーケット・シグナルのような(44)）よりサイクル数の高いフィードバック・メカニズムを全面的に前景化し、「一般意志」という中央集権化された討議の場を経由する遅々として進展しない赤外線回路の代わりにそれを用いることによってはじめて、自らのおこなうことを寄生虫感染から隔離することができるようになる。そしてそのときにこそ、局所的《ローカル》で、痛ましいほど機能せず、容認することのできないもので、そしてだからこそ緊急に修正されたかつての自分たちの行動パターンを、なんの自覚もないままにグローバルな規模で広がっている慢性的な社会政治的病理として位置づけなおすことができるようになるのである。

ひとたび他の誰かの身体を噛みちぎることを覚えてしまったなら、もうまともに働くのは耐えがたいことになるだろう——揺るぎないフィードバック・システムを備え、サイバネティクス的に強力な、**自由放任《レッセ・フェール》**的秩序から学びうる教訓とは、たとえばこうしたものである。だがこうした教訓もやはり、哀れみ深い民主主義者からすれば、ゾンビにたいする嫌悪からくる無自覚な差別の一種に他ならないものだと見なされることになる。彼らはまるで犯罪でもあるかのように寄ってたかってそれを非難し、そしてその一方で、もうほとんど死んでいるような存在にたいする公共の予算を増大させ、やむにやまれぬ共食い衝動の徴候に苦しんでいる者たちに代わって意識向上のキャンペーンに努め、高等教育のカリキュラムのなかでそうしたゾンビ的なライフスタイルの尊厳を肯定し、そして足を引きずって歩くアンデッドたちが、利益に取り憑かれ、実績中心主義的で、あまつさえ旧弊な生命第一主義者でさえある雇い主たちによって苦痛を与えられないことを保証するために、職場環境を厳密に管理していくことになる。

啓蒙にもとづいたゾンビにたいする寛容《ゾンビ・トレランス》が、民主主義という名の強力な寄生虫たちのすみかのなかで栄えていくにつれ、その名に値する真のインセンティヴ(45)がもたらす効果に気を配る数少ない反動主義者の残党たちは、「そういった政策が、避けがたく大規模なゾンビ人口の拡大をもたらして

(43)［訳注］入力と出力の回路が輪を描いてつながっている状態をあらわす回路理論の用語。転じて、始点と終点が連絡したまま循環して機能する構造一般を指す。
(44)［訳注］市場参加者のあいだで、意図や能動性をもたないままにやりとりされる徴候的な情報。
(45)［訳注］なんらかの目標を達成するために人の言動に方向性を与える刺激や誘因。

しまうのが分からないのか」という決まり文句のような問いを投げかける。だが歴史の支配的なヴェクトルは、そういった厄介な反論が周縁化され、無視され、そして――可能ならすぐにでも――社会的な排除によって沈黙させられることを前提にして進んでいく。結果として反動主義者の残党たちは、乾燥食料や弾薬や銀貨を貯めこみ、地下室の守備を固めはじめるか、さもなくば、二つ目のパスポートの更新手続きを急ぎつつ、荷物をまとめはじめることになる。

民主主義の成れの果てとしてのギリシャ

もしこうしたことのすべてが、歴史的な具体性から遊離しているように見えるのだとすれば、うってつけの治療法がある。多少話題を変えて、ギリシャへと目を移してみればいいのだ。リアルタイムで進行する西洋の死の縮図となるようなモデルとして、ギリシャのたどってきた物語には、人を呆然とさせるほどの説得力が備わっている。その物語は二五〇〇年にも及ぶ歴史の弧が描くものだが、しかしその弧はまったく整然としたものなどではない。むしろそれは抑えがたくドラマチックなもので、原始民主制からはじまり、最後には完全なゾンビ・アポカリプスへと向かっていくことになる。この物語の傑出した長所は、それが**臨終の間際にある**民主主義のメカニズムを完璧に例示していることにある。このメカニズムのなかでは、中央集権化された大規模な再配分のシステムをつうじて、その言動が一つにまとめられていくことにより、諸個人や局所的《ローカル》な人口集団が、自分たちの決定の結果から切り離されていくことになる。自分がなにをするのかを事前に決定することはできるが、しかし投票はつねに、すでに決められた選択肢のなかでおこなわれることになるわけだ。こうしたメカニズムにたいして、いったい誰が「否」といえるというのか。

以上のような民主主義というメカニズムの存在を考えるなら、三〇年以上にわたってEUの一員でありつづけてきたギリシャの人々が、欧州中央銀行(46)という熱的死(47)の終着点を経由することによって経済に関連するあらゆる情報を一つ残らず赤方偏移(48)させていき、社会的な短波信号のことごとくを無化して、ヨーロッパの連帯という壮大な回路を経由するかたちでフィードバック・システムを再設定していく、そんな社会工学上の巨大プロジェクトに熱心に協力しつづけてきたのも無理のない話である。とりわけこのプロジェクトは、ギリシャの金利となる可能性のあるあらゆる情報を跡形もなく消しさるために「ヨーロッパ」と結託し、結果として、ギリシャ国内の政治的選択にかんする財政上のフィードバック・システムを、事実上すべて無効化しつづけてきたものだ。

法の制定によって現実を廃棄してしまうこと以上に「一般意志」に適うことはなく、チュートン人［ゲルマン系諸民族の総称］の金利を東地中海人の支出にかんする意思決定と結びつけること以上に現実にたいして決定的なかたちで毒人参を差しだしてやる(49)ことはないことを考えれば、これこそが、それ以上の完璧さを許さないような、その完全な形態における民主主義なのだといえる。ギリ

(46) https://www.zerohedge.com/news/ex-ecbs-juergen-stark-says-ecbs-balance-sheet-gigantic-collateral-quality-shocking［投資家向けのニュース・サイト『ゼロ・ヘッジ』(Zero Hedge) に掲載された記事「元欧州中央銀行役員ユルゲン・シュタルク、同行のバランス・シートは「あまりにも巨大」であり、その担保の品質は「衝撃的に酷い」と発言」へのリンク。］

(47)［訳注］原子配列の乱雑さを表す概念であるエントロピーが、その極限まで最大化した状態を指す熱力学の用語。あらゆる生命の存在できない宇宙の最終状態であり、その終焉であるとされる。

(48)［訳注］観察対象からの光のスペクトルがなんらかの理由で波長の長いほうへずれて観察者に届く現象を指す天文学の用語。

シャ人として生活し、ドイツ人として金を支払え――こうした標語にもとづいて権力の座に就くことのできなかった政党はみな、荒野のなかを、ハゲワシの食い散らかした残飯を我先にと求めてたがいに競いあうことを余儀なくされる。その完全な形態における民主主義とは、この表現から考えられるほぼすべての意味において、まったく**頭を働かさずにできること**《ノーブレイナー》[50]なのである。これ以上事態が悪化することなどありえないだろう。

民主主義の起源とその展開――ピューリタン革命からアメリカへ、そして世界へ

したがってより重要なのは、いったいどこで間違ったのかという問いの方である。こうした問いにたいしてメンシウス・モールドバグは、ウェブ・サイト『留保なき制限』のなかに収められている「なぜドーキンスは乗っとられてしまったか」（いいかえれば、いかにして彼は、自らのもつ「悪用可能な脆弱さ」に支配されてしまったのか）というテクストを、「最悪のミーム[51]状寄生虫」の存在を想定し、その設定上の基準となるものを概観してみせ[52]るところからはじめている。モールドバグによればその寄生虫は、「最大級の毒性をもつ。それは高い伝染性をもったきわめて病的なもので、潜伏期間も長期にわたる。じつに忌まわしいウイルスだ」とされるわけだが、こうしたイデオロギー上の度を越した疫病に比べると、『神は妄想である』のなかで嘲笑されているかつての痕跡を残すばかりの一神教など、せいぜいが軽い鼻風邪程度のものにしか見えなくなっていく。だがミームにたいする抽象的でどこか要領を得ない言及ではじまるモールドバグの議論はやがて、その結論として、暗黒啓蒙的な流儀[53]のなかで全面的に再検討された歴史へと向かっていくことになる。

私の考えでは、ドーキンス博士はたんにキリスト教の無神論者というわけではない。彼は**プロテスタントの無神論者**である。また彼は、たんにプロテスタントの無神論者であるわけではない。彼は、**カルヴァン主義の無神論者**である。そしてまた彼は、たんにカルヴァン主義の無神論者であるわけではない。彼は、**イギリスのカルヴァン主義の無神論者**である。いいかえれば彼は、ピューリタンの無神論者、国教反対派《ディセンター》の無神論者、非国教徒《ノンコンフォーミスト》の無神論者、福音主義の無神論者等々と呼びうるような人物なのである。

こうした古典的な分類法によるなら、ドーキンス博士の知的な祖先は、四〇〇年前まで、つまりイングランド内戦の時代まで遡るものであることになる。もちろん無神論という主題を除いてのことだが、ドーキンス博士の核心には、喧騒派《ランターズ》や、水平派《レヴェラーズ》や、真正水平派《ディガーズ》や、クエーカーや、第五王国派(54)との、あるいはクロムウェルが独裁を敷いた空位期間に栄えたイギリス国教反対派のより過激な伝統との、注目すべき共通点が存在している。

率直にいってこういった連中は異常者である。狂った狂信者である。そうした伝統が（あるい

(49)［訳注］民主政下のアテネにおいて風俗壊乱の罪で捕らえられ、死刑を宣告されたソクラテスが、差しだされた毒人参の液を自ら飲んで命を絶ったという故事を踏まえた表現だろう。

(50)［訳注］no brainer：字義通りには「脳をもたない者」だが、転じて「考えずとも分かる簡単なこと」を意味し、あるいは思考しない者という意味で「馬鹿」等の意味にもなる口語表現。ここではさらに、脳の機能が停止したまま活動するような形象として、ゾンビ的な存在を暗示してもいるだろう。

(51)［訳注］meme：進化論的な枠組みで分析することを前提にして、「遺伝子《ジーン》」（gene）との類推のなかで進化生物学者リチャード・ドーキンスが提唱した、模倣によって伝播していく文化的な情報一般を意味する造語。

は現代におけるその末裔が)、目下この惑星における支配的なキリスト教の宗派になっているのだと聞かされたとしたら、一七世紀、一八世紀、ないし一九世紀のイギリスにおいて主流派にあった思想家たちは、その事実を目前に迫った黙示録のしるしに違いないものだと考えたはずだ。私としては、そうした思想家たちが間違っているとはおもえない。

幸運なことに、クロムウェル自身は比較的穏健だった。過激で極端なピューリタンのセクトが、護国卿政治[55]下の権力を確たるかたちでその手中に収めることは、けっきょく一度も起こらなかった。さらに幸運なことに、クロムウェルは年老いて死に、クロムウェル主義は彼とともに消えさった。イギリス国教会のみならず、法に則った政府があらためてグレートブリテンに取りもどされ、国教反対派たちはふたたび周縁的な分派と化した。というよりも率直にいってそれは、完全に厄介払いされたのだといえる。

だがしかし、活発な寄生虫の動きを止めたままにしておくことはできない。寄生虫の共同体はアメリカへと避難し、ニュー・イングランドという、神権政治にもとづいた植民地を創設した。独立戦争と南北戦争での軍事的な勝利のあとで、アメリカのピューリタニズムは、世界支配の歩を大きく進めた。第一次大戦、第二次大戦、そして冷戦におけるその勝利は、彼らの地球規模の覇権を確実なものにした。目下この地球上で主流派を占める合法的な思考のすべては、アメリカのピューリタンに遡るものであり、そして彼らを経由して、イギリスの国教反対派に遡るものなのである。

ドーキンスの限界とそこに見られる徴候性

世界を支配するまでにのぼりつめたこの「じつに忌まわしいウイルス」のことを考えるなら、ドーキンスのような、そのことにあまり関係ないように見える人物が取りあげられているのは奇妙に

(52) http://unqualified-reservations.blogspot.com/2007/09/how-dawkins-got-pwned-part-1.html［モールドバグの記事「なぜドーキンスは乗っとられてしまったか」パート1へのリンク。合計七つのパートからなるこのエッセイでモールドバグは、科学者の立場から宗教の虚妄性を暴いていくドーキンスの著作『神は妄想である』にたいする一種の批判的な書評という形式のなかで、その政治経済的な立場にも深くかかわる自身の基本的な歴史観を述べていく。以下、ランドによるその紹介に先行してしまうことになるが、圧縮された本文の記述だけでは分かりづらい箇所でもあり、以降の議論の導入として、手短にその大枠をまとめておく。モールドバグはまず、宗教を社会を蝕む悪性のミームと見なすドーキンスの議論を踏まえつつ、同じミーム概念を用いてそれを拡大解釈し、ドーキンスの考える一神教的な宗教というミームよりもはるかに強い影響力をもつ別のミームの存在を想定する。イギリスの宗教改革に端を発するこの「ミーム状のウイルス」ないし「寄生虫」こそ、モールドバグが「〈普遍主義〉」(Universalism) と呼ぶものである。曰くそれは、「形而上学的な迷信を、人間性や進歩や平等や民主主義や正義や環境や共同体や平和などといった哲学的な神秘と入れかえることによって」、かつての一神教的な神学的伝統に取って代わった、新たな宗教的「カルト」の形態なのだという（モールドバグの同記事パート4）。モールドバグからすればドーキンスの無神論は、この〈普遍主義〉という宗教的ミームのヴァリエーションであることになり（彼はそのミームに「乗っとられている」(pwned) のだとされる）、のちに本文でランドが引いていくとおり、彼の宗教批判の身ぶりそれ自体が、〈普遍主義〉がもつ深い意味での宗教性に規定されてしまっているものなのだとされる。以上を踏まえモールドバグは、ランドが本パート後半から次パートにかけて紹介していくとおり、「〈普遍主義〉の保菌者」としてのドーキンスが、その議論のなかで見せるある不可解な発言に注目し、それをきっかけにしていかに〈普遍主義〉が目下の世界に影響を及ぼしているのかを論じていくわけだが、それについては続く本文を参照されたい。］

(53) http://unqualified-reservations.blogspot.com/2007/10/how-dawkins-got-pwned-part-2.html［同記事パート2へのリンク。］

おもわれるかもしれない。だがモールドバグは、絶妙な判断にもとづいた戦略的理由によってその標的を選びとっている。彼は、ドーキンスによるダーウィニズムや、アブラハム的な有神論[56]にたいするその理にかなった否定、そして科学的な合理性にたいするその広範で強い関心などにかんしては完全に同意を示している。しかしその一方で彼は、次の点を決定的に見抜いている。つまり、ドーキンスの批判的な能力は、目下覇権を握っている進歩主義とより広範にわたって関係する部分を危険にさらしかねないところまでくると、——唐突に、そしておうおうにして笑うべき調子で——停止してしまうことになるのだ。こうした点でドーキンスには、あきらかな徴候的性格が備わっているのだといえる。すなわち、戦闘的な世俗主義というものはそれ自体として、分類学上ではイギリスのプロテスタントのラディカル・デモクラシー的な部門のなかに位置する、アブラハム的なメタ・ミームの現代的変種の一種であり、**反伝統主義こそがそれに固有の伝統なのである**。『神は妄想である』における騒々しい無神論は、防衛的な牽制の身ぶりを表現するものであるとともに、過去の宗教的な改革に連なるその最新版を表現しているものなのだ。それは経験主義と理性を吹聴する進歩主義的な熱狂の精神によって導きだされている一方で、神を主題とした先だつ系統のなかに存在していたものにも比肩するような、好戦的な教条主義を例示するものなのである。

ドーキンスは、啓蒙された近代的な進歩主義者や、潜在的なラディカル・デモクラシーの擁護者に留まるだけの人物ではない。彼はまた目覚ましい肩書きをもった科学者であり、よりはっきりといえば生物学者であって、つまり（ひとことでいえば）、ダーウィン主義的な進化論者である。したがって彼が、例のミーム状の強力なウイルスによってその範囲を確定された、許容可能な思考の限界に接する点は、ごく簡単に予測することができる。彼が継承している低教会派[57]の極端なプロテスタント主義の伝統は、精神的な投資の場を神から人間に移しかえた。そしてその「人間」はといえば、すでに一五〇年以上にも及ぶダーウィン主義的研究のプロセスのなかで、たえず解体されつづけている。（モールドバグとともにこんなところまで連れてこられてしまった健全で慎みぶかい読者は、おそらくこの時点ですでに、頭のなかでこう呟いているはずだ。**人種のことには触れないでくれ、人種のことには触れないでくれ、人種のことには触れないでくれ、頼むから、あぁ頼むから、時代精神《ツァイトガイスト》と進歩という神ならざる甘美なものの名にかけて、頼むから人種のことには触れないでくれ……**）……だがモールドバグはこれまでの議論のなかですでに、[58] トマス・ハクスリー［Thomas Huxley：ダーウィンと同時代の生物学者、進化論を擁護し、「ダーウィンの番犬」として知られる］による次の言葉を引用するドーキンスを引用している。「（……）噛みつきあいではなく頭脳を使っておこなわれる競いあいにおいて（……）。私たちの文明の階層構造におけるもっとも高い場所はきっと、わが黒い肌の親戚たちの手の届く範囲にはないだろう」。そしてこのハクスリーの言葉をドーキンスは、次のように評す

(54)［訳注］いずれも一六世紀から一七世紀にかけての宗教改革、清教徒革命の時代に生じたプロテスタントの派閥で、政治的な急進性や神秘主義的傾向の強さをその特徴とする。

(55)［訳注］清教徒革命によってチャールズ一世が処刑されたあとの空位期間。およそ五年間のあいだ、クロムウェル親子が国王に代わる国家元首に相当する護国卿の地位に就いた。

(56)［訳注］旧約聖書の預言者アブラハムの宗教的伝統を受け継ぐものとされる有神論的宗教、すなわちユダヤ教、キリスト教、イスラム教の三者を指す。

(57)［訳注］イギリス国教会のうち、教会の権威を重視することのない信仰上の立場。

(58) http://unqualified-reservations.blogspot.com/2007/10/how-dawkins-got-pwned-part-3.html［モールドバグの記事「なぜドーキンスは乗っとられてしまったか」パート3へのリンク。］

ることでその議論のなかに組みいれている。「もしハクスリーが（……）現代に生まれて教育を受けていたとすれば、自らのヴィクトリア朝的な言葉や慇懃無礼な調子に誰よりも先に腰を抜かすことになるのは、彼自身だったことだろう。私がこれらの文章を引用したのはひとえに、時代精神《ツァイトガイスト》がいかに移ろっていくかを示したかったからに他ならない」。

新たな「原罪」としての人種問題

雲行きは、さらに怪しくなっていく。モールドバグはハクスリーの手を取り、そして……（あぁ、おぞましいことに！）愛おしそうにその手のひらに指を這わせていくことになるのだ。そこにあるのはもう完全に、ありきたりのリバタリアン的な反動とは呼べないようななにかである──それは冗談抜きで暗黒になり、恐怖を感じさせるようなものになっていく。「大真面目に尋ねておきたいのだが、友愛の根拠とはいったいなんなのか。じっさいのところいったいなぜドーキンス博士は、新たなるヒト科の成員がまったく同じ神経発達の可能性をもって生まれてくると信じているのか。彼は答えてくれない。おそらくそんなことは当たり前だと考えているのだろう」。

つまり人間の生物学的多様性(59)やその同質性がそれぞれにもっている科学的な価値についてどう考えるかとは無関係に、後者の仮定が**寛容されること**、ただそれだけが**寛容される**ものなのだということは、完全に議論を超えた事態なのである。たとえ人間性についての進歩主義的で〈普遍主義〉的な信条が真であったとしても、そうした立場が是認されるのはそれが真であるからではないし、批判的な科学的合理性から見て一笑に付されるものであるかどうかを検証したうえでもたらされているからでもない。それは信仰の本質的な特徴となるような激しさをともないながら、宗教的な教義として受けとられているのであり、それについて疑問を投げかけることは科学的な間違いにかかわる問題ではなく、現代では**政治的不正さ**《ポリティカル・インコレクトネス》と呼ばれ、かつては**異端**として知られていたものに関連する問題なのである。

人種主義との関係のなかでこうした超越的で道徳的な態度を保持することは、**原罪**の教えを受けいれることと同様、理性にかかわる問題ではないのであり、ようするにそれは、現代におけるまぎれもない原罪の代替物といえるものなのだ。もちろんそこには、「原罪」は伝統をもった教義であるという違いも存在している。つねに臨戦態勢にある一定の社会集団によっていまも支持されているとはいえ、もはや原罪という教義は、公的な知識人やメディア関係者からはあからさまに過小評価され、世界的に支配的な文化のなかではまったく時代遅れなものになっているもので、――さすがに嘲笑されているとまではいえないにしても――一般に広く批判されているものである。それを批判することは殺人や盗みや不貞を擁護するのと同じことなのだと見なすような、有無をいわせぬ前提は、原罪にかんしては存在していない。その一方で、究極にして決定的な社会悪としての人種主義の地位に問いを投げかけるとすればすぐさま、社会的なエリートたちからのあらゆる点に及ぶ糾弾を招くことになり、奴隷制の擁護から大量虐殺の計画に至るまでの幅をもった、**思想犯**の嫌疑

(59) Human Biological Diversity：あらゆる人間は生まれながらに平等であるとする前提を退けたうえで、個々人の生来的な違いに注目し、その違いにたいして積極的に科学的な根拠づけをおこなおうとする潮流。その担い手は専門的な学者たちから政治家や在野のブロガーまでさまざまだが、じっさいに起きている現象としての水準でそれを見るかぎりで、立場によって幅はあるとはいえ、その多くが新たな科学的な人種主義の隠れ蓑でしかないといえる。ともあれ、この立場とランドの胡乱《うろん》な関係については、主にPART 4以降の議論を参照。

をかけられることになる。人種主義とは、**純粋な、あるいは絶対的な悪**なのである。したがってそれにふさわしい場所となるのは、市民の相互交流や、社会的で科学的なリアリズム、あるいは、効率的で調和のとれた合法性といったものからなる世俗的な領域ではなく、無限にして永遠で、罪を煽りたてそれ自体罪にまみれた、極度にプロテスタント的な発想にもとづく魂の奈落なのである。かつての異端者やそれに連なる者たちにつきまとい、彼らにたいしてたえず投げかけられていた感情や、制裁や、あるいは剝きだしの社会的権力の非対称性こそが、人種主義につねにつきまとうその存在の指標のようなものになる。新たなセクトが君臨している。そしてこの事実は、ことさらにうまく隠蔽しようとなどされていない。

とはいえ、どれだけ強硬派のＨＢＤ［人間の生物学的多様性（Human Biological Diversity）の略記］の支持者であっても、超良人種思考《プラス・グッド・レイス・シンク》(60)がもつ宗教性をヒステリックに強調するだけでは、――モールドバグが嗅ぎつけている――ラディカル・デモクラシーという深刻な病状から発される臭気を、じゅうぶんに際立たせてやることはできない。必要なのは、ラディカル・デモクラシーが国家と宗教的な関係を結んでいることをあきらかにすることだ。

（60）［訳注］plus-good race-think：ジョージ・オーウェルの小説『一九八四年』に登場する全体主義国家のなかで用いられる、語彙数そのものが制限された統制的な言語体系である「ニュー・スピーク」の語彙を踏まえた表現。

PART 3

ドーキンスが、人種主義的な議論を退けるさいに無批判に前提にする「時代精神《ツァイトガイスト》」なるものとは、それに適応しないものを排除しながら国家というかたちをとるにいたった「神」に他ならないものであり、目下その教義として崇められているのは、「普遍的な寛容さ」という掟である。

こうしたモールドバグの分析にもとづきつつランドは、あらゆるものが寛容されるなかで、ただ不寛容さだけが寛容されえないものとなるアイロニカルな状況が生まれていることを指摘する。だがいいかえればこれは、国家にとって都合のいいことだけが合法的なものとして認められるということであり、そこにあるのはようするに、穏やか《ソフト》な全体主義なのだ。

以上を踏まえてランドは、激化をつづける「ヘイト・クライム」の背後に指摘されるべきは、この世界の宗教的《スピリチュアル》な流れにたいする反動の表現としての憎悪《ヘイト》なのだと断じていく。だが進歩主義的で民主主義的な国家が、そうした反動的な洞察を考慮することはありえず、事態は避けがたく破局へと向かっていくことになる。

ドーキンスのいう「時代精神《ツァイトガイスト》」とはなんのことなのか

前回の更新は、「なぜドーキンスは乗っとられてしまったのか」のなかで展開されるその政治的かつ宗教的な思考にふれつつ、政治的不正さ《ポリティカル・インコレクトネス》という毒の沼に腰まで浸かった（あるいはそれ以上浸かっている）我らがヒーロー、メンシウス・モールドバグの議論で終わっていた。モールドバグは、ドーキンスが、トマス・ハクスリーの人種主義的で「ヴィクトリア朝的な言葉」を、その批判の身ぶり自体に重大な徴候性のある、下手に信心家ぶった調子で非難している箇所においてとらえ

（61）［訳注］二〇一二年三月一九日更新。なお、全体のうちこのパートのみ章題に当たるものが存在しない。確かなことはいえないが、「暗黒啓蒙」のしたたかな戦略性をもった政治的な扇動《デマゴギー》としての性格を考えれば、その理由を、たんなる書き忘れなどといった消極的なものと見なすわけにはいかないだろう。以下、考えられる可能性を提示しておく。更新の時期から逆算すると、このパートが書かれていたのは二〇一二年三月の前半だとおもわれるが、この時期はちょうど、前月の二六日に起きていたトレイヴォン・マーティン射殺事件（直接的にはPART 4a以降の議論ではじめて言及されるこの事件については、注（121）を参照）が全国的に報道されだし、大きな注目を集めはじめていたころだった（同事件初の全国規模での報道は、ロイターによる三月八日付の記事。次のURLを参照。https://www.reuters.com/article/us-crime-florida-neighborhoodwatch/family-of-florida-boy-killed-by-neighborhood-watch-seeks-arrest-idUSBRE82709M20120308）。オバマ政権下において優勢にあったリベラル派にとってこの事件は当然、自分たちの正しさをあらためて強調するための絶好の機会だったはずであり、彼らが先導する世論が、後出のランドの言葉を借りていえば、「穏やかな《ソフト》全体主義」としての性格を帯びていったことは想像に難くない。したがっておそらく、ランドはここで、パートのタイトルをあえて書き落とし、そのなかでなされている議論を一言でまとめて世に問うようなことは禁忌とされているのだということを暗示することによって、当時の状況が――ひいては〈大聖堂《カテドラル》〉の統治下が――それほどまでに抑圧的なものなのだということを、間接的なかたちで印象づけようとしているのだろう。

ていた――そしてその箇所でのドーキンスの議論は、ハクスリーの言葉のなかに読まれる自明かつまったく寛容できないおぞましさにもかかわらずそれを引用するのは、「ひとえに、時代精神《ツァイトガイスト》がいかに移ろっていくかを示」すためなのだという奇妙な宣言で結ばれているのだった。

それを受けてモールドバグは、獲物を逃すまいと襲いかかるようにして議論を進めるなかで[62]、「正確にいって、ここでいわれている時代精神《ツァイトガイスト》なるものとはいったいなんのことなのか」と鋭く問いを発していく。この問いに見られる事態の把握の仕方は、あきらかに並外れたものである。問いが向けられた先にいるのは、生物学者としての訓練を受け、自然主義的な進化とアブラハム的な宗教という、(対立しつつ)対をなす話題の両方によってはっきりと魅了されている思想家(つまりドーキンス)である。この人物は、彼自身が世界史的な精神的発展の一方通行的な流れとして理解している事態に立ちあっているのだが、しかしそのさいに彼は、科学の進展や、人間を対象にした生物学や、あるいは宗教的な伝統と、あらゆる意味で深刻に関係する議論を――断固とした口ぶりで、しかし整然とした理由や根拠をまったく援用することのないままに――否定している。そしてその結果としてそこに生じているたどたどしい不明瞭な説明は、およそ困惑するしかないようなものになっている。だが次のようにいわれるとおり、モールドバグからすればそれも、すべて辻褄の合うことなのである。

じっさい、ドーキンス博士のいう時代精神《ツァイトガイスト》は、(……)イギリスの古いカルヴァン主義やピューリタニズムにおける**摂理**という概念と(……)見分けのつかないものだ。おそらくこの組みあわせは正確とはいえないだろうが、しかしいずれにせよ両者は、かなり近いものではある。

あるいは、時代精神《ツァイトガイスト》に代わる別の言葉として、〈進歩〉を挙げてみることもできる。〈普遍主義者〉が〈進歩〉を信仰する傾向にあるのはなんら驚くべきことではない——じっさい政治的な文脈に置かれた場合、おうおうにして彼らは、**進歩主義者**を自称していく。普遍主義者はたしかに、一九一三年［になされたハクスリーによる厄介な指摘(63)］以来、かなりの進歩を生みだしてきた。だがそのことは、〈普遍主義〉とは一つの寄生虫的な伝統であるという命題を退けるものではまったくない。ダニにとっての進歩と犬にとっての進歩は、同じものではないからだ。

とはいえしかし、より正確にいって、ここでいわれている時代精神《ツァイトガイスト》なるものとはいったいなんのことなのか。この問いは何度でも繰りかえされるべきものだ。そもそも、あるイギリス人のダーウィン主義者が、同じくイギリス人のダーウィン主義者である人物［ハクスリーのこと］を打ち倒すための武器に手を伸ばすというときに、自らの手に一番馴染む棍棒がドイツ語の単語になるということ自体が、なによりもまず驚くべきことであるはずだ。しかもその単語は、自然主義的な進化の

(62) http://unqualified-reservations.blogspot.com/2007/10/how-dawkins-got-pwned-part-3.html［モールドバグの記事「なぜドーキンスは乗っとられてしまったか」パート3へのリンク。］

(63)［訳注］括弧内はランドの補足だが、ドーキンスが引用していたハクスリーの言葉は一八七一年の文章からのもので事実とは異なる。一九一三年は、「時代精神」の変化の例としてモールドバグが引いている、実業家・歴史家チャールズ・フランシス・アダムズ・ジュニア（Charles Francis Adams Jr.）の演説がおこなわれた年で、単純なとり違えと思われる。モールドバグはその議論のなかで、二人の大統領を輩出した家系に連なる筋金入りの連邦主義者であり、奴隷解放論を展開したアダムズ・ジュニアの演説に読まれる宗教性を強調している。詳細については、「なぜドーキンスは乗っとられてしまったか」パート3を参照。

プロセスとはとくに関連をもたない歴史的な時間概念を明示するものであり――［ヘーゲルに代表されるような］国家崇拝的な傾向をもつ難解な観念論哲学の流れと切り離すことのできないものなのである。とうてい考えられないようなことだが、これではまるで、（量子力学の不確定性をめぐる）物理学者たちのあいだでの拮抗する議論のなかで、誰かが急に、「神は宇宙を相手に賽を投げたりしない[64]」と叫ぶのを聞くようなものである。しかしじっさいには、この二つの例は密接に絡みあっているのだ。というのも、時代精神《ツァイトガイスト》にたいするドーキンスの信仰は、（やはりこれもモールドバグによってその細部にいたるまで分析されていることだが[65]）「アインシュタインの宗教」と呼ばれている、教条主義的な進歩主義にたいする彼の固執と一体になっているものなのだから。

たとえ仮にでも、そうした論争のなかでは、すくなくともその原理として、科学的な合理性が至高の地位を占めているものなのだと、そんなふうに素朴に信じるのだとしたら、ひどい恥をさらしてしまうことになる。じっさいのところそこには、――この表現自体、アイロニーが途方もない精神病といえるような状態にまで高められている言葉であるわけだが――アインシュタインの述べた〈古きもの《オールド・ワン》〉[66]がいまも変わらず君臨しつづけているのだ。つまりその判断基準のすべては、新たなピューリタニズムの衛生学に左右されるものなのであり、そこにじっさいの現実と突きあわせて精査することのできるようなものはなに一つとして存在していないのである。科学的な発言は、進歩主義的な社会的課題に適合するように選別されるが、逆にそうした課題がもつ支配力は、科学的な無謬性にたいするその完全な無関心によっていっさい影響を受けることはないらしい。この文脈でモールドバグが［トロフィム・］ルイセンコ［Trofim Lysenko：ソ連の農学者。スターリンの支持を得て独自の遺伝学説を展開、結果としてソ連農業を荒廃させる］の名を挙げているのも、無理もないことである。

国家と化した神としての時代精神《ツァイトガイスト》と寛容の問題

「もし事実が理論に適合しないなら、悪いのはその事実の方なのだ」とヘーゲルは断言する。ドーキンスのいう時代精神《ツァイトガイスト》とはようするに、役に立たない事実をごみのように踏みつぶしながら、歴史をとおして国家というかたちで受肉された神のことなのである。いまではもう誰もが、その受肉のプロセスがどこで完成されるのかを知っている。普遍的な公理や、もはや議論の余地のない教義となるまでに盤石なものと化した平等主義的な道徳的理想によって、「寛容」そのものが〈文化的な〉寛容性の範囲を定めた鉄の掟として設定されることで、近代に備わったかつてないほどの歴史的なアイロニーは完全なものになる。そうした掟がひとたび普遍的に受けいれられてしまうと、あるいはより具体的にいうなら、重大な文化的権力を行使するあらゆる社会的勢力によって受けいれられてしまうと、**不寛容さは寛容されえないものになり**、結果として、政治的な権力によって都合

(64)［訳注］量子力学にたいする反論として、アインシュタインが述べたとされる台詞。

(65) http://unqualified-reservations.blogspot.com/2007/09/how-dawkins-got-pwned-part-1.html［モールドバグの記事「なぜドーキンスは乗っとられてしまったか」パート1へのリンク。ここでいわれる「アインシュタインの宗教」は、『神は妄想である』においてドーキンスが自身の無神論的信仰の立場として提示したものだが、モールドバグによればそれは、「現在のキリスト教の支配的な動向」であり、「多くの非合理な主題」をその内に含んだ「非有神論的なキリスト教のセクト」であるとされ、ようするに〈普遍主義〉と同義の立場と見なされていく。］

(66)［訳注］広義の神を意味するらしいものとしてアインシュタインが用いた表現。

のいいありとあらゆるものが、もはやなんの制約もなく合法化されつづけていくことになる。

これこそが弁証法の詐術であり、その論理的な倒錯が生みだす詐術である。**寛容さだけが寛容されるものになる**場合、（そのことにかかわる者は）誰もがみな、あきらかに馬鹿げたものであるこの定式を受けいれていくことになる。しかもそれは、合理的に理解可能なものとしてだけではなく、普遍的に肯定される現代の民主主義的な信仰として受けいれられていき、結果として、政治的なもの以外はなに一つとして残らないことになる。完璧な寛容さと絶対的な不寛容さはいまや、A＝非Aであり逆もまた真であるというかたちで、どちらも同じようなものとして解釈されうるものになり、ただ権力だけが両者の分節の鍵を握る、そんな剝きだしのオーウェル的な世界のなかで、論理的に分離不可能なものと化している。寛容さは社会的な警察機能を帯びるまでに増大し、新たな異端審問機関にその存在の口実を与えるものになったのだ（「不寛容さを寛容する者は寛容さそのものを逆用することになり、そして寛容さの敵は民主主義の敵になるのだということは、記憶にとどめておく必要がある」と、モールドバグはアイロニカルに述べている[67]）。

自発的な寛容から寛容される権利へ――穏やかな《ソフト》全体主義としての民主主義

古典的なリベラリズムを特徴づけるものだった自発的な寛容さは、政治的なものの領域や政府の不寛容さを制限する、数の限られた一連の消極的権利[68]をその起源にもつ。だがそうした自発的な寛容はいまや、積極的権利としての**寛容される権利**の前に降伏することになっている。この権利は目下、かつてないほど広範にわたる領域を巻きこみつつ、実質的な資格として定義されている。そうしたなかにはたとえば、人間の尊厳を公的なかたちで肯定することや、（公私を問わない）あらゆる場所からの平等な待遇を国家によって保証されること、あるいは実情のともなわない侮辱や屈辱や、経済的な面での停滞状態から政府によって保護されること、そして――きわめつきは――、雇用状況や実績や評価といった分野のすべてにおいて、統計的に見て偏りのない状態で代理表象されることなどが含まれる。以上のような傾向のそのすべてが、いつの日か終末論的に成就されるということは、端的にいってありえないことだが、しかしそんなことは、弁証法的な議論にとってなんら問題にはならない。反対にそれは、苦情という燃料が無限にくべられていくなかで、政策の飽和という忌避すべき事態をすっかり燃やしつくしてしまうことによって、政治的なプロセスをたえず活性化させていくことになる。「〈精神の戦い〉をやめることも、我が手のなかで〈剣〉を眠らせることもするまい。イングランドの快活な緑の土地に、エルサレムを建設するまでは」[69]。だがエルサレムに到達する前のどこかで、来るべき自由な社会のものであるはずだったこの漠然とした多元主義は、穏《ソフト》やかな全体主義としての民主主義が生みだす、独断的な多文化主義へと変わってしまったわけである。

(67) http://unqualified-reservations.blogspot.com/2011/07/petition-against-reactosphere.html［モールドバグの記事「反動圏《リアクトスフィア》に抗する申したて」へのリンク。ヘイト・クライムの一種と見なされる、二〇一一年七月にノルウェーで起きた連続テロ以後の情況をきっかけに、反動主義的傾向にたいする言論統制の実態を論じる。］

(68)［訳注］negative right：基本的人権を国家と国民の二者関係に注目したうえで分類した権利の様態の一つ。「国家からの自由」を意味し、思想信条や表現の自由など、原則として政府による制限が認められないものを指す。たいして後出の積極的権利（positive right）は、「国家による自由」を意味し、教育の自由や生存権など、政府による介入を前提としてその実現が図られるものを指す。

(69)［訳注］一八～一九世紀イギリスの詩人ウィリアム・ブレイクの長詩『ミルトン』からの引用。

一七世紀アムステルダムの亡命ユダヤ人たちや、一八世紀ロンドンの亡命ユグノーたち［フランスにおけるカルヴァン主義者にたいする呼称］は、孤独なままでいる権利を謳歌し、その見返りとして彼らの宿主《ホスト》に富をもたらした。その一方で民主主義によって後押しされた近代末期の苦情者集団はいま、政治的な指導者たちによって**耳を傾けられる権利**（つまり根本的には自由を認めるものではない権利）を要求するように駆りたてられ、社会にたいしてもっぱら害をなしている。だが耳を傾けられず無視されてきた者たちの声《ヴォイス》と自らを同一化して事を進めようとする政治家たちからすればこれは、そこに賭けられている自分たちの利益が、それ以上明白になることもないような事態だといえる。

「進歩」の勝利がもたらしたもの――憎悪《ヘイト》のなかで一つになるダーウィン主義とミーゼス主義

かつては干渉されない状態を前提にしていた寛容さは、いまやそのことを非難するようになり、そしてそれを非難するなかで、まったく正反対なものに変わっている。もしこうした展開が党派的なものであるなら、民主主義的な性格をもった党派政治が逆転して別のものになる可能性も残されるわけだが、しかし事態はまったくそうしたものではない。［当時の民主党政権の大統領であるオバマの前任者で、共和党所属の］合衆国大統領ジョージ・W・ブッシュはかつて、「思いやりのある保守主義者」を自任し、〈大聖堂《カテドラル》〉を領導しようとする無駄な努力のなかで、「誰かが傷ついているのなら、政府が行動を起こさなくてはならない」と宣言した。そんなことが誰かの「権利」であるというなら、それはもうたんに死んで機能を停止しているというより以上に、腐敗が進行し周囲に悪臭を放っている状態にあるのだといわなくてはならない。いずれにせよ「進歩」は勝利しつづけてきたわけだが、けっきょくのところそれは、悪いことだったのだということになるのだろうか。モールドバグはこの問いにたいし、厳密に迫っていく。[70]

ミーゼス主義[71]からすれば、もしある伝統がその宿主《ホスト》の計算を誤らせ、その個人的な目標を危険にさらすような場合、その伝統にはなんらかの病的状態が見られることになる。一方でダーウィン主義からすれば、もしある伝統がその宿主《ホスト》に、生殖にかかわる遺伝子の利益を危険にさらすような行動をとらせる場合、その伝統にはやはり、なんらかの病的な状態が見られることになる。ところで一般に、ある伝統を支持することが、個人のレヴェルでは有益なものであったり、(その伝統からの離反者はなにかしらの報酬を受けるか、すくなくとも罰されずにいるというかたちで)中立的なものであったりするにもかかわらず、集団的には有害なものである場合、その伝統は寄生的なものだといえる。あるいは、それを支持することが個人のレヴェルでは利益にならず、しかし集団的には利益をもたらす場合、その伝統は利他的なものであることになる。あるいはまた、それが個人的にも集団的にも無害であるなら、その伝統は共生的なものであることになる。さらに、それが個人的にも集団的にも有害であるなら、その伝統は悪意に満ちたものだといえる。ミーゼス主義から見た病状とダーウィン主義から見た病状を名指すものとしては、以上のようなレッテルのそのすべてを適用することが可能である。逆に、たとえそれがどれほど合理性からかけ離れている主題だったとしても、ミーゼス主義から見た病状もダーウィン主義から見た病状も示さないようなものは、さほど病的なものとはいえない。

そのなかでとられる行動のことを考えるなら、ミーゼス主義的なシステムとダーウィン主義的なシステムはどちらも、利他的なものでも、共生的なものでも、悪意に満ちたものでもなく」「利己的な」インセンティヴが群れあつまったものであり、一方は富の蓄積へと向かい、もう一方は遺伝子の増殖へと向かっていくものだ。とはいえそこには違いも存在し、ダーウィン主義者たちが「ミーゼス主義的な」領域を遺伝子的に自己本位な動機の特殊なケースとして理解する一方で、高度に合理化された新カント派的な反自然主義をその起源にもつオーストリア学派の伝統の方は、そういった還元にたいして抵抗を示す傾向にある。こうした対抗関係の根本部分にある含意は無視できないものだが、しかし現在の状況に鑑みるなら、そこまで差しせまった問題とはいえない。なぜなら、ミーゼス主義とダーウィン主義というシステムは目下、「憎悪《ヘイト》」のなかで、つまり不適応者を処罰するインセンティヴ構造を反動主義的に甘受するなかで、一つになっているものだからだ。

憎悪《ヘイト》の意味するもの

この「憎悪《ヘイト》」という言葉は、立ちどまって考えてみるべきものである。この言葉は〈大聖堂《カテドラル》〉のもつ宗教的な正統教義を特別な明瞭さをもって証言するものであり、その特殊性は注意深い観察に値する。新たなピューリタニズムの福音主義的な熱狂とかかわることなく、純粋に法や文化にかんする規範の分析という観点から見るかぎり、この言葉のもっとも顕著な特徴となるのはおそらく、そこに見られる完璧な余剰性だといえる(72)。たとえば「ヘイト・クライム」と呼ばれるものはけっきょくのところ、「憎悪《ヘイト》」という語の冠されたただの犯罪にすぎないものである。したがってこの場合、［法や文化にかんする規範とは別のレヴェルで］その語が付け加えている意味こそが重要なのだ。

---

(70) http://unqualified-reservations.blogspot.com/2007/10/how-dawkins-got-pwned-part-2.html［モールドバグの記事「なぜドーキンスは乗っとられてしまったか」パート2へのリンク。つづく引用はリンク先のパートからのものだが、いささか唐突で分かりにくいため、以下、前後の文脈を整理してランドの議論との接続を補っておく。モールドバグはこの箇所で、〈普遍主義〉の「善悪を定義する」方法の一つとして、「リアリティ・テスト」と呼ばれる一種の思考実験を提案している。ようするにそれが「現実《リアリティ》」に即してよいものなのか、それとも悪いものなのかを判断しようというわけである。そしてそこでいう「現実《リアリティ》」なるものの審級となるのが、一方で、個人の自由を至上とし、富の蓄積のために外部からのいっさいの介入を退けることを説く政治経済的立場であるミーゼス主義であり、他方で、生存競争の結果としての適者生存を説く生物学的立場であるダーウィン主義なのだとされる。つまり、〈普遍主義〉の説く進歩や平等や民主主義などといった価値観が「個人の利益」に害をなす（あるいはそれを促進する）場合、そうした価値観はミーゼス主義的に悪（あるいは善）であり、「再生産の利益」に害をなす（あるいは促進する）場合、それはダーウィン主義的に悪（あるいは善）であるのだというわけである。そしてこうした場合分けによる「リアリティ・テスト」をさらに細分化して徹底しているのがつづく引用の箇所であり、ミーゼス主義／ダーウィン主義にとって悪とされる価値観（モールドバグの表現によれば、それらにとって「病的な」ものとしてあらわれる「伝統」）にたいして、「寄生的」、「利他的」等々のさらに細かい「レッテル」が貼られていくことになる。モールドバグがこうした操作をおこなっているのは、ドーキンスの宗教批判は十分な現実性をもたず、的を外したものであること（ひいてはそのことが、彼の深い意味での宗教性を照射していること）を強調するためであると同時に（引用後半で、「どれほど合理性からかけ離れている主題」だとしてもミーゼス主義やダーウィン主義から判断してとくに害をなさないものは「さほど病的なものとはいえない」と述べられているのは、暗に彼の宗教批判の無効性を指している）、その名のとおりなんの限定もない普遍性を志向する〈普遍主義〉の諸価値を、彼のいう「現実《リアリティ》」の名のもとに有限化し、しかるべく相対化して批判するためなわけだが、それを踏まえたランドの議論はまた別の方向へと、つまり執筆当時のアクチュアルな問題である「ヘイト・クライム」と、その背景にある「憎悪《ヘイト》」をめぐるものへと向かっていくことになる。］

誰もが納得するような極端な犯罪行為の例に議論を限定するために、ここではひとまず、次のように問うてみてもいいだろう。つまり、たとえその動機が「憎悪《ヘイト》」に帰されるのだとしても、では正確にいっていったいなにが、殺人や暴行をそこまで**激化**させていくことになるというのか。この問いに答えるものとしては、とくに顕著な点として次の二つの要因を挙げることができるはずだが、しかしそのどちらも、一般的な法規範と明確にかかわるようなものではない。

まず第一に、そうした犯罪を増加させているのは、純粋に観念的でイデオロギー的な要素や、さらにいえば「宗教的《スピリチュアル》」な要素なのだといえる。つまりそうした犯罪は、たんに文明的な振るまいにたいする侵害を示すだけではなく、そこに異端の意図があることを示すものなのである。この事実を踏まえるなら憎悪《ヘイト》とは、「ヘイト・スピーチ」や、あるいは単純な「ヘイト」といったかたちをとる犯罪行為から、完全に分離されるべきものであることになる（したがっていくらそれが無防備な集団や社会的カテゴリーや個人に向けられ、議論を呼ぶような批判的な言葉であったり、あるいはたんに口汚い言葉で表現されるとしても、そのさいに見られる「感情」や「憤慨」や正当な「怒り」は、「ヘイト・スピーチ」や「ヘイト」といった犯罪行為からつねに区別されるべきものなのである）。「憎悪《ヘイト》」とはつまり、〈大聖堂《カテドラル》〉にたいする攻撃それ自体のことであり、その精神的な導きにたいする拒絶であり、この世界のあからさまに宗教的な流れにたいする精神的な反抗を意味するものなのだ。

そして第二に、以上と関連することだが、急進的な民主主義社会における均衡の保たれた政治的両極性との関連のなかで見た場合、「憎悪《ヘイト》」は、意図的に、さらにいえば戦略的に非対称的なかたちで存在するものである。それが容赦のない進歩の行進と、益体もない保守主義の愚痴のあいだで揺らぐことはありえない。すでに見てきたとおり、「憎悪《ヘイト》する」可能性をもつのは、「ミーゼス主義や〈ダーウィン主義のような〉その名に値する右派だけなのである。「憎悪《ヘイト》」を抑圧することを目的とした賛美歌まがいの免疫システムが、エリート教育やメディアの体系のなかに組みこまれていくにつれ、政府による保護の分配はきわめて選択的なものになり、結果として「言説」――しかも著しく力をもった言説――はかならず、たえず左へと、つまり、かつてないほどの包括性をもって急進化した〈普遍主義〉へと向かっていくことになる。こうした動向に見られる病状はもはや末期的なものである。

苦情者という地位は経済的な無能力にたいする政治的な補償として与えられるものであり、結果としてそれは、機能不全を擁護するような自動的な文化的メカニズムを生みだしていく。苦情者の状況や地位が低下すればするほど、社会にたいする彼らの苦情はより説得的なものになり、彼らが置かれている状況や地位の大義はより純粋で高貴なものになっていく。しかし不平等と不正義を反射的に同一視する〈普遍主義〉の教義から、こうした命題のオルタナティヴが出てくることはありえない。現世での欠乏は、宗教的《スピリチュアル》な神の選びを意味することであり（そこにあるのはいわば、マルクス主義的カルヴァン主義である）、すこしでもそれに異を唱えることは、あきらかな「憎悪《ヘイト》」

（71）［訳注］オーストリア学派に連なる経済学者であるルートヴィヒ・フォン・ミーゼス（Ludwig von Mises）の思想にもとづく政治経済的立場。国家による市場への介入は全体主義の萌芽であると断じ、徹底して自由市場を擁護する。現代のリバタリアニズムの思想的立脚点の一つ。

（72）［訳注］redundancy：言語の伝達において、最低限その意味が伝達されるのに必要とされる以上の情報が含まれている状態を指す言語学の用語。転じて、正常に機能するなんらかのシステムの余剰部分、いわゆる「あそび」の部分を指す。

を意味することになる。

退化へと向かう〈普遍主義〉的な国家の悪循環

とはいえだからといって、「ヘイト・クライムのような」政治的な暴力や犯罪行為、浮浪や破産、あるいは福祉にたいする依存へと至る者たちのなかにはっきりと確認される社会的に不利な立場は、それ自体として道徳的な有罪性を示す分かりやすい指標なのだという結論にはならない。たとえそれがどれほど強硬派の新反動主義者であっても、盛期ヴィクトリア朝時代の文化をなぞるようなそんな結論へと向かうことはない。そうした社会的に不利な立場の大部分――おそらく圧倒的な大部分――は、純然たる不運の産物である。虐待的な家族関係のなかで秩序なく育ち、犯罪と隣りあう荒廃した共同体の内部で身動きの取れなくなっている、暗く、衝動的で、不健康で、魅力に欠けた人々が、自分自身よりも先に神格化された者《ゴッズ》たちを呪うのは当然のことだといえる。さらにいえば、おもいがけない大きな不幸は誰にでも起こりうることである。

だが「〈普遍主義〉的な国家にとっての」効果的なインセンティヴ構造という観点からいえば、そうした立場は、まったく重要性をもたないことになる。経済行動にかんする目下の実情から理解されるのは、**たとえそれがなんであれ政府による助成を受けられるものだけが促進される**という、ただ一つの鉄の掟だけなのだ。エントロピーそれ自体の必然性以上の必然性をもたないまま、――大企業にとってだけではなく、奮闘する人々や苦境にある文化にとっての――悪しき結果を和らげようとして社会民主主義が機能すればするほど、事態はさらに悪化していくことになる。この定式を迂回したり乗りこえたりするような方法は存在せず、ただ希望的観測があるだけであり、結果としてすべてが、退化のプロセスに巻きこまれていくことになる。とはいえいうまでもなく、以上のような決定的に反動的な見通しは、避けがたく的外れなものと見なされて終わることになる。なぜならそれは、あらゆる「進歩主義的な」改善はそれ自体を「倒錯的に」反転させ、おぞましい失敗へと変わっていくことを運命づけられているのだという、これ以上ないほどに不快な結論を導くものなのだから。民主主義がそんなことを受けいれるはずもなく、したがってあらゆる民主主義はかならず失敗していくことになる。

ミーゼス主義やダーウィン主義からすれば退化へと向かう暴走でしかないそうした流れが生んでいるとどめようのない悪循環は、ワシントンD.C.に拠点を置く世界でもっとも軽薄なリバタリアンであるメーガン・マッカードル［Megan McArdle：コラムニスト、ブロガー］が、〈大聖堂《カテドラル》〉の中核をなす伝達機関『ジ・アトランティック』誌に寄稿した次の文章(73)のなかに手際よくとらえられている。

年金システムそれ自体が欧州の成長をかたちづくり、その範囲を確定してきただろうものであることを考えるなら、欧州の統計学的な人口の変化がもたらした最初の深刻な緊張状態が、欧州本土の福祉予算のなかにあらわれているという事態は、なかなかに皮肉なものだといえる。二〇

（73）https://www.theatlantic.com/magazine/archive/2012/04/europes-real-crisis/308915/［古くはニュー・イングランド文化の機関誌とも見なされたリベラル派の老舗論説誌『ジ・アトランティック』（The Atlantic）ウェブ版に掲載されたマッカードルの記事「ヨーロッパの真の危機」へのリンク。］

世紀をとおして国際的に採用されてきたのは、将来の税収から支払われることになる確定給付型年金を約束する社会保障システム――年金の専門家には「ペイゴー原則[74]」として知られ、ポンジ・スキーム[75]と呼ばれ批判されているシステム――だった。こうしたシステムは、貧困に苦しむ老年層の不安を大きく軽減したが、多くの研究が示しているとおり、社会保障システムが寛大なものになればなるほど（そして老年層がより保障されていけばいくほど）、子供をもうける人々の数はますます少なくなっていくことになる。ある推定によれば、（人口置換水準[76]を上回る）アメリカの出生率とヨーロッパのそれとの違いのうち、およそ五〇から六〇％は、後者がもつより寛大な社会保障のシステムによって説明できるということである。換言するならようするに、ヨーロッパの年金システムは、そうしたシステムの――のみならず欧州諸国の政治体制の――破綻を助長することになる人口減少そのものにきっかけを与えつづけてきたかもしれないものなのである。

〈普遍主義〉は権力にたいする神秘的で不合理なカルトである

アメリカ合衆国はヨーロッパが死へと向かっていくこうした道からなんとか外れているのだというマッカードルの馬鹿げた意見にもかかわらず、上記の診断の大まかな枠組みは明快であり、（たいていは見て見ぬふりをされているとはいえ）だんだんと共通の教義として受けいれられているものである。目下高まりつつあるこの教義によるなら、自分たちの子孫を当てにしたり節約をとおして獲得される福祉は普遍的なものではなく、道徳的に見て蒙昧なものであることになる。したがってそれは、できるだけ広くそして速やかに、民主主義的な市民を対象として普遍的に分配される――つまり避けがたく利他的な国家を経由してもたらされる――普遍型の給付や「積極的権利」に取って代わられるべきものなのである。その結果として、真に現実にかかわる取りかえしのつかない政治的不正《ポリティカル・インコレクトネス》さが、経済と人口を同時に崩壊させることになるとしても、すくなくとも自分たちの魂が傷つくことはないというわけだ。あぁ、民主主義よ！　いまにも息絶えようとするなかで、それでも陶然と感傷に浸りつづける白痴であるお前は、ゾンビたちの大群がまさかお前の魂のことを気にかけるとでもおもっているのか？

モールドバグは次のように述べる(77)。

私見によれば、〈普遍主義〉にたいするもっとも分かりやすい説明は、権力にたいする神秘的でカルト的な崇拝というものである。

(74)［訳注］財政の悪化を抑止するため、歳出の増加や歳入の減少が見込まれる政策がおこなわれるさいには、他の歳出分野を削減するなどし、それに見合った財源を確保しなければならないとする原則。「実行するときはまず支払え」（pay as you go）というその標語に由来。

(75)［訳注］利益の還元を前提に資金の出資を呼びかけておきながら、運用の実態のないまま、同様にして他から出資された資金のみによって場当たり的に配当をおこなう、詐欺の枠組みの一種。いわゆる「ネズミ講」がこれに当たる。

(76)［訳注］長期的に見て人口の総数が変わらない状態をあらわす統計学上の指標。つまり出生率がこの水準よりも高い場合人口は増加し、逆の場合は減少する。

(77) http://unqualified-reservations.blogspot.com/2007/10/how-dawkins-got-pwned-part-3.html［モールドバグの記事「なぜドーキンスは乗っとられてしまったか」パート3へのリンク。ただ、じっさいには引用の箇所はパート4に読まれるもの。］

なぜそれが権力の崇拝なのかといえば、〈普遍主義〉の複製可能な生活環[78]のうち、一つの決定的に重要な段階に当たるのが、国家と呼ばれる小動物だからだ。大文字のU［すなわち〈普遍主義〉(Universalism)］の細胞表面タンパク質をすこしでも調べてみれば、その大半が国家を捕獲し、それを維持し、そして持続させようとする欲求や、継続的なその複製に適した状況を創造するために国家権力を導こうとする欲求によって説明できるものになっていることはすぐに分かることだ。蚊を媒介にしないマラリアを想像するのが難しいように、国家とかかわることのない〈普遍主義〉を想像するのは難しい。

なぜそれが神秘的なカルトなのかといえば、〈普遍主義〉は、形而上学的な迷信を人間性や進歩や平等や民主主義や正義や環境や共同体や平和などといった哲学的な神秘と入れかえることによって、有神論的な伝統に取って代わるものだからだ。

正統な〈普遍主義〉の教義のなかで定義されているこうした概念のうち、たとえわずかでも一貫した意味をもつものはなに一つとして存在しない。そのすべてが、合理的な思考をまったく生みだすことのないまま、任意の心的なエネルギーを吸いとっていく。こうした点でそれらの概念は、プロティノス哲学やタルムード[79]やスコラ学などに見られるような無意味な言葉と比較されるのがふさわしいものだといえる。

現代の政治体制の継起を示す四つの指標

付録として以下に、現代における政治体制の主だった継起にともなう〈都市の特徴〉の指標[80]を提示しておく。

体制（1）――共産主義的専制
典型的成長率――〇％以下
声《ヴォイス》／出口《イグジット》の水準――低／低
文化的風潮――精神病的ユートピア主義
生活は……困難だが「フェア」
移行メカニズム――経済的なゼロ度における市場の再発見

体制（2）――オーストリア学派的資本主義
典型的成長率――五％以上、一〇％以下
声《ヴォイス》／出口《イグジット》の水準――低／高
文化的風潮――冷酷な現実主義
生活は……困難だが生産的

（78）［訳注］lifecycle：なんらかの生物種の成長や生殖などによる変化を、一つの個体の発生から、連続する次の個体の発生まで段階的にたどり、分かりやすく環状にあらわした状態を意味する生物学の用語。たとえば種子植物の生活環の場合、種から苗へ、苗から花へ、そしてやがてそれがまた種へという一連の流れが示される。
（79）［訳注］それぞれ三世紀ギリシャの哲学者の思想、ユダヤ教の口伝の律法とその注釈、中世ヨーロッパに栄えキリスト教の教義を哲学的に根拠づけた学問の体系を指すが、ここでは、三者に共通する高度な抽象性や神学的で体系的な教条主義がとくに念頭に置かれているのだろう。

移行メカニズム――民主化をうながす〈大聖堂《カテドラル》〉による圧力

体制（3）――社会民主主義
典型的成長率――〇％以上、三％以下
声《ヴォイス》／出口《イグジット》の水準――高／高
文化的風潮――信心家ぶった不誠実
生活は……穏《ソ》や《フ》か《ト》だが持続しない
移行メカニズム――問題の先送り

体制（4）――ゾンビ・アポカリプス
典型的成長率――データ無し
声《ヴォイス》／出口《イグジット》の水準――高（主に無意味な叫び声として）／高（燃料、弾薬、乾燥食料、貴金属製の硬貨とともに）
文化的風潮――生存第一主義《サバイヴァリズム》
生活は……ほぼ不可能
移行メカニズム――不詳

それぞれの体制の予想成長率は、それにふさわしい人口を無理のない数で想定したうえでの数値だが、人口がそうした想定に達することがない場合、その体制は一直線に（4）へと向かっていく

ことになる。

(80)［訳注］the Urban Feature guide：語頭を大文字にした強調（訳文では山括弧による強調）がなにを意味するかは不詳。だがおそらくここで念頭に置くべきは、「暗黒啓蒙」というテクストの初出媒体がもっていた性格だろう。このテクストはもともと、二〇一一年七月からランドが執筆していたブログ「都市の未来」（Urban Future）上に、パートごとに計一〇回に分けて掲載されたものだった。ただこのブログは、かならずしもランド個人のものとはいえないもので、現在に至るまで彼が勤務しているらしい出版社であるアーバナトミー（Urbanatomy）の刊行する、『ザッツ上海』（that's Shanghai）という情報誌ウェブ版内のコラムの一つとしてはじめられている。「暗黒啓蒙」の掲載から数ヵ月後には閉鎖され、ウェイバックマシン上も含めて削除されている記事も多いため、知りうる情報は限られるが、そのタイトルのとおりこのブログは、上海という都市を定点として、来るべき未来の世界を予測してみせることを主眼とする場であったらしい。「都市の未来へのいざない」と題された初回の投稿でランドは、「上海の歴史、地理、文化」だけでなく、「近代についての理論」や、「進化生物学」ないし「技術的特異点」云々といった横断的な主題を取りあげていくことを宣言している。以上を踏まえるなら、「暗黒啓蒙」というテクストは、広義での都市論や未来学といった文脈のなかで書かれたものであり、上海という地から西洋文明の終わりを見通し、（新反動主義を援用しつつ）それを相対化して、別の未来を提示してみせるテクストなのだということもできる。ここでいわれる「〈都市の特徴〉の指標」も、おおよそそうした文脈で読まれるべきものだろう。引用した「都市の未来」初回投稿のアーカイヴへのリンクは以下を参照。https://web.archive.org/web/20110718030423/http://www.thatsmags.com/shanghai/index.php/article/detail/226/introducing-urban-future

PART 4

ふたたび破滅へと向かっていく白色人種(81)

モールドバグは、目下覇権を握っている平等主義的で民主主義的な価値観を〈普遍主義〉と名づけつつ、同時にそれが、歴史的に特定可能なプロテスタンティズムの亜種であり、なんら普遍的なものではないことを指摘する。〈普遍主義〉を信仰するこの世界の支配層である〈大聖堂《カテドラル》〉は、見せかけの世俗主義の裏で、その宗教的教義を確たるものにしているというわけである。

そうした対立関係のなかでも、モールドバグ（を読むランド）がとくに注目するのが、「ホワイト・ナショナリズム」、すなわち、人種主義的な白人のアイデンティティ・ポリティクスの問題である。宗教的な絶対悪としてヒトラーの名が掲げられ、人種にかんする議論のすべてが封殺されるなかで、ホワイト・ナショナリストたちは目下、反ユダヤ主義というブラック・ホールのなかへと吸いこまれ、崩壊へと向かうことを余儀なくされている。

だがランドは、彼らの「人間の生物学的多様性」への注目、つまり人種は生まれながらに平等なものではないとする発想への注目に向きあわないかぎり、それがもつ危険性は高まりつづけることになるのだと指摘する。

リベラル派は貧しい白人が共和党に投票することに当惑したり、激しく怒ったりしているが、同じ部族であることを理由に投票がなされることは多民族的な民主主義に共通する特徴であり、このことは北部アイルランドでもレバノンでもイラクでも変わらない。かつて多数派だったものが少数派へと変わっていけばいくほど、彼らの投票は部族性を根拠にしたものになり、結果として共和党はだんだんと「白人の政党」へと変わっていく。パット・ブキャナン［Pat Buchanan：元政治家、ジャーナリスト。ニクソン、レーガンの補佐官を務めたのち、保守派のコメンテーターとしてニュース番組で活躍］はこうした事実の正しさをいささか荒っぽく主張したことでクビになったが(82)、そういった主張をしているのはなにも彼にかぎった話ではない。

同じことはこの国［イギリス］でも起きるだろうか。パターンは似ていなくもない。二〇一〇年の選挙のさい、保守党は民族的マイノリティの票のうち一六％しか獲得しなかった。しかし労働党はバングラデシュ系の七二％、アフリカ・カリブ系の七八％、アフリカ系の八七％の支持を手にしている。イギリスのヒンドゥー教徒

(81)［訳注］二〇一二年四月一日更新。
(82)［訳注］ブキャナンは二〇一二年二月、前年に出版した著書『超大国の自殺――アメリカは、二〇二五年まで生き延びるか？』（河内隆弥訳、幻冬舎、二〇一二年）のなかに、あからさまに人種差別主義的な内容が含まれるとして、長年コメンテーターを務めていた大手ケーブルTV局MSNBCのニュース番組を降板させられている。

やシーク教徒のあいだでは保守党がわずかに上回っているが――これは共和党がアジア系アメリカ人のあいだで支持されていることに対応している――、しかし彼らは、自家所有者で専門的な職業に就いている場合が多く、社会からの疎外感を感じることが少ない者たちである。

『エコノミスト』誌は最近になって、保守党のなかに「人種問題」があるかどうかを問題にしたが、ようするにそれは、民主主義そのもののなかに人種問題があるかどうかという問いだといえるはずだ。

――エド・ウエスト〔Ed West：作家、ジャーナリスト。移民排斥の急先鋒として知られる〕（このリンクを参照）[83]

〈普遍主義〉の特殊性というアイロニー

アイロニーの妙味を味わうことができなければメンシウス・モールドバグの思考はほとんど耐えがたいものであり、確実に理解不可能なものである。歴史的なアイロニーがかたちづくる途方もなく大きな構造が彼の文章を形成し、ときにその文章はそうした構造のなかにすっかり浸りきってさえいる。そうでなければ伝統的な社会秩序の布置を支持している――自称ジャコバイトの[84]――人間が、断固として社会の転覆に捧げられた一連の仕事を生みだすことなどありえないことだ。

アイロニーこそがモールドバグの方法であり、同時にまた彼の属する環境である。このことは、現代世界の支配的な信仰である横領された啓蒙を名づけるさいに、彼が〈普遍主義〉という言葉を選んでいる点にもっともはっきり見てとれる。この言葉を彼は、反動主義的な現状分析のさいに用い（そして完全に我が物として使いこなし）ているのだが、その分析の力は全面的に、〈普遍主義〉がもつ、通常ではまったく考えられないような特殊性を暴露することによって生まれている。

モールドバグは、普遍的なものに匹敵する全般的な支配の状態にまで上昇するなかで、それ自体に固有の普遍的な意味を主張しているような事柄を、繰りかえし歴史に（より厳密にいえば分類学上の系統図に見られる分岐に）立ちかえり、正確に特定していく。こうした精査によって、近代の意味やそれが向かっていく方向性を決定する普遍的な理性と見なされているものは、カルト的な伝統から連綿とつづく場所に厳密なかたちで位置を特定することのできるその下位区分であり、その亜種であることが暴露されていく。つまりそれは、喧騒派《ランターーズ》や水平派《レヴェラーズ》に由来するものであり、反体制的で極度にプロテスタント的な狂信と密接に関連するその変種であって、論理学者たちが推論のさいに用いる理性とはほとんどなんの関係ももたないものであることが暴露されることになるのだ。

したがって皮肉《アイロニカリー》なことに、目下この世界に君臨している民主主義的で平等主義的な〈**普遍主義**〉という信仰は、進歩的でグローバルな啓蒙という見せかけのなかに伝染性のあるその発症力を隠し

（83）http://blogs.telegraph.co.uk/news/edwest/100148320/george-galloways-victory-shows-that-british-politics-is-dividing-down-tribal-lines/ ［イギリスの日刊紙『テレグラフ』に掲載されたウエストによる記事「ジョージ・ギャロウェイの勝利はイギリスの政治が部族的な線によって分断されていることを示している」へのリンク。二〇一二年の下院補欠選挙で左派政党リスペクトのジョージ・ギャロウェイが当選したことを受け、民主主義に備わった民族・人種的な偏向性を指摘。なおこの記事は現在では削除されている。］

（84）［訳注］名誉革命で追放されたジェームズ二世とその子孫を正統な王として支持する反革命派にたいする呼称。ジェームズのラテン語形に由来。

ながら、歴史的にも地理的にも特定可能な道筋をとおって、あるときに発生したカルトであり、特殊で特異なカルトであることになる。イングランドとニュー・イングランド、宗教改革と独立戦争を経由してきたその経路は、蓄積されてきた数多くの特徴のなかに記録されている。そしてそうした特徴は目下、アイロニーや、それよりも質の劣ったさまざまな喜劇にたいして、ありあまるほどの素材を提供している。現代の「リベラル」な知識人や、「偏見のない」メディアに登場する「真実の語り手」の化けの皮が剝がされ、そしてその下に、魔女狩りに熱狂した人種を先祖にもつ熱烈で、偏狭で、狂信的なピューリタンの青ざめた顔が暴きだされていくのだとしたらそれは、――抗いがたく人目を引く――見世物になるに違いない。

とはいえ、〈大聖堂《カテドラル》〉が与えられたその聖なる使命にしたがって、あらゆる場所に手を伸ばし、そしてあらゆるものをとらえて離さなくなっていくにつれて、そうした暴露をきっかけにして生まれる反応が周囲にユーモアをもたらすようなことなどほとんどありえなくなっていく。むしろ〈大聖堂《カテドラル》〉にたいしてそれ相応の慎みぶかい服従がなされない場合、おうおうにして生じることになるのは、漠然とした怒りや、理解を拒むような内向的なルサンチマンである。そこに見られるのは、自らが普遍的な合理性をもつことをあくまで真剣に主張しながら、しかし自らの特殊で異質な血統の特徴をいまだその身にまとったままでいる、そんな小教区的な偏狭さをもった文化的教義にふさわしい厚顔さだといえる。

〈大聖堂《カテドラル》〉によるアイロニカルな統治の例（1）——伝統的キリスト教にたいする見せかけだけの世俗主義的批判

　一つの例として以下では、アメリカ独立宣言[85]のなかの、もっとも有名な次の一節を考えてみよう。「われわれは以下の事実を自明のことと信じる。すなわち、すべての人間は生まれながらにして平等であり、その創造主によって、（……）不可侵の権利を与えられているということを」。このような「自明の」真実にたいして細心の注意をもって心から従うことは、宗教上の再堅信[86]や回心の身ぶりとは別のものなのだと心の底から断言することなど、はたして本当に可能だろうか。あるいはこれらの言葉のなかでは、信仰の原則にその席を譲るために理性や明証性がはっきりと**除外されているの**だということを、はたして本当に否定することはできるだろうか。こうした宣言よりも非科学的で、真に普遍的な推論の基準と無関係なものなど、どこにも存在しないのではないか。**すでに信者である者**以外にいったい誰がこんな想定に同意できるというのか。

　このように、民主主義や共和主義という信念を基礎づけているものが、（一つの宗教的教義として理解することのできる）純粋な信仰の声明として定式化されるべきものなのだということは、それ自体として見るべきところのある情報だが、とはいえそこにはまだアイロニーがあるとはいえない。アイロニーは次の事実とともにはじまる。つまり、こんにちの〈大聖堂《カテドラル》〉をかたちづくるエリ

（85）https://www.archives.gov/founding-docs［国立公文書記録管理局のサイト内の、独立宣言などアメリカ建国に関連する文書をまとめたページへのリンク。］
（86）［訳注］洗礼を受けた者が、さらに信仰を強めるためにおこなうキリスト教上の儀礼。

ートたちのあいだではどうやら、（そのなかの他の多くの言葉同様）独立宣言のなかの上記のような言葉は、せいぜいが古風な連想を喚起するものとしてしか受けとられていないようなのだ。それは――それこそ普遍的なかたちで――漠然と気まずいようなものとして、いずれにせよ間違いなく字義どおりに同意するわけにはいかないものとして受けとられているようなのである。たとえそれが「自然権」に傾倒したリバタリアン的な保守主義者であっても、神から与えられたものとしての自分たちの起源に確信をもってはっきりと立ちかえろうとするなどということは、およそ考えづらい事態だといえる。一方で、すでにそうした権利を（いいかえればそうした資格を）与えられている信者である現代の「リベラル派」にとってみれば、そんな古風な発想は、たんに馬鹿げた時代遅れであるだけではなく、積極的に邪魔にさえなるものだ。したがってリベラルの立場よりも、その政治的な敵のものである遅れたファンダメンタリズム的思考の方が、崇めたてられている彼らの先駆者との関係が近いのだといえる。だがその一方で、ヘーゲルがそうだったように、〈大聖堂《カテドラル》〉の中枢にいるインテリたちは、神とは物の道理をわきまえない者たちによって理解された国家内部の国家組織《ディープ・ガヴァメント》に他ならないものであり、したがってそのままでは信仰の浪費にしかならないものなのだということを（そして信仰を上手く使いこなせるのは、官僚たちだけなのだということを）はっきりと理解している。(87)

グローバルな規模で覇権を握るまでに上昇した〈大聖堂《カテドラル》〉にとってみれば、建国の父たちなどもはや不要なものなのだ。なぜなら彼らは、その偏狭な祖先たちをいまになって喚起し、国境を越えた広報活動の邪魔をすることになるからだ。むしろ追求されるのは、自分たちの祖先たちを貶めることをとおしてたえず自らを再活性化していくことである。こうした事態は、分かりやすく進歩主義的なものに連なる「新たな無神論」という現象によって、十分すぎるほどに証明されている。新たなピューリタニズムが繁栄するために、古いピューリタニズムは愚弄されなくてはならない——**ミームは死んだ、ミーム万歳！**(88)　というわけだ。

こうした自己パロディの極限において、新たなピューリタニズムによる親殺しは、「クリスマスにたいする戦争(89)」という馬鹿げたかたちをとることになる。この「戦争」のなかで〈大聖堂《カテドラル》〉の支持者たちは、伝統的なキリスト教徒たちによる公共の場での敬虔さの表現に抗するための妨害キャンペーンをおこない、（なんら切迫感などもっていない）教会と国家の分離という問題を喧伝していく。そしてそれにたいして、そうしたキャンペーンにまんまと釣られる「赤い諸州」の人間たちが、ケーブルTVのニュース番組をつうじて陰鬱な怒りを露わにすることで応戦していくことになる。（「貧困」や「ドラッグ」や「テロ」のような）定義が曖昧な他の名詞にたいする戦争同様、その結果は予想どおり倒錯したものになる。クリスマスにたいする戦争にたいして抵抗することはいまのところ、その時期のさまざまな祭事の揺るぎない中心を占めるものとはいえないが、間違いなく

(87)［訳注］一九世紀末から二〇世紀初頭のアメリカ・プロテスタント教会内部で生じた運動。進化論など科学的な見方を許容する自由主義神学からの影響で教会内に広がる世俗化や近代化に抗して、信仰の根本的な教理へと立ちかえることを説く。

(88)［訳注］内乱などで王権が移行するさいに叫ばれ、ひいては王政の揺るぎなさをあらわす、「（かつての）王は死んだ、（新たな）王様万歳！」（The king is dead, long live the king!）という慣用句を踏まえた表現。

(89)［訳注］以下で述べられている「キャンペーン」の争点の一つとしてはたとえば、クリスマスの時期の挨拶として、「メリー・クリスマス」の代わりに宗教色のない「よい休暇を」を用いるべきだとする議論が挙げられる。

やがてそうしたものになっていくはずだ。だがたとえそうなったとしても、進歩主義的な信仰をその宗教的な基盤から切り離そうとするうわべだけの世俗主義が促進されていくことをとおして、一方でその核心にある内容――民族的に特定可能で、教条主義的な宗教的内容――から人々の注意が逸らされていくことになり、結果として〈大聖堂《カテドラル》〉の目的は果たされることになるわけである。

〈大聖堂《カテドラル》〉によるアイロニカルな統治の例（2）――ホワイト・ナショナリズムの問題

とはいえ問題の核心に迫ろうとする反動主義者からすれば、伝統的なキリスト教徒たちなどというものは、概して子供のおもちゃのような存在でしかない。たとえそれが新たなピューリタニズムの正統教義を誰よりも過激に信奉する者であったとしても、いまさらそうした問題にかんすることで心から腹を立てることなど、まず想像しがたい話だからだ（中絶に賛成する活動家たちはそのかぎりではないが）。彼らの神経を剝きだしにさせ、激しい興奮の発作でその身をよじらせることになるような、真に重要な論点を見ていくためには、進歩主義の系統のうち、捨てさられ儀式的に忌み嫌われている別の一角に目を向ける方がはるかに理に適っている。その別の一角とはつまり、白人のアイデンティティ・ポリティクス、あるいは、（モールドバグがその代わりに選択する言葉を用いるなら）「ホワイト・ナショナリズム」のことである。(90)

段階的に進歩してきた新たなピューリタニズムによる社会民主主義が、初期段階における自らのすがたに他ならない宗教的な形態を組織的に嘲笑することによって一気に促進されるものであるように、一貫してネオ・ファシスト的な政治経済へと向かっていくその傾向の方は、「ネオ・ナチ」の脅威を（あるいはかつてのようなファシストの脅威を）一致団結して退けてみせることによって勢いを増していく。国家によって主導された偽物の資本主義が、コーポラティズム(91)的で「第三の位置《サード・ポジション》」(92)的な構造をかつてないほどあからさまに生みだしているなかにあって、白人の人種的なパラノイアによる怒りに満ちた表現へと人々の注意を逸らすことができる状況ほど都合のいいものはない。ましてそうした表現が、おざなりに手を加えられただけのナチの記章や、［ドイツ軍の象徴である］角のついたヘルメットや、レニ・リーフェンシュタール［Leni Riefenstahl：ドイツの映画監督。ナチのプロパガンダ映画を製作］の美学や、さらには『我が闘争』から自由に借用されたスローガンによって飾りたてられている場合、状況はさらに好都合なものになる。合衆国の場合、［KKKの成員が集会のさいなどに身にまとう衣装を思わせる］白いベッド・シーツや、フリーメイソンを模した位階制、あるいは［私刑《リンチ》を暗示する］燃える十字架や首吊り紐といったKKKをあらわす記号が、そういった飾りと同様の演劇的な価値を帯びている（そしてそれが合衆国で確認される以上、同じようなものはわずかな間をおいてすぐに国際的にも見られることになるはずだ）。

モールドバグは、ホワイト・ナショナリストたちによる表向きには健全さが装われたブログの

(90) http://unqualified-reservations.blogspot.com/2007/11/why-i-am-not-white-nationalist.html［モールドバグの記事「なぜ私はホワイト・ナショナリストではないか」へのリンク。次段落で言及されるとおり、モールドバグはこのテクストを、ランドが「白人のアイデンティティ・ポリティクス」と呼び、彼自身は「ホワイト・ナショナリズム」と呼ぶ白人至上主義を標榜する者たちのブログを羅列するところからはじめている。］

(91)［訳注］政策決定にさいし、企業や労組との協調を重視する政治経済上の立場。この文脈ではとくに、それが帯びる統制的で全体主義的な性格が念頭に置かれている。

(92)［訳注］資本主義と共産主義という既存の体制をどちらも否定し、第三の体制を目指す政治経済上の立場。ここではとくに、歴史上の「第三の位置《サード・ポジション》」の代表例と見なされるファシズムやナチズムが喚起されている。

数々を羅列していく。その書き手たちはいずれも、――成功の度合いに違いはあれ――かつてのファシストの自己パロディに堕すのを回避している。だがそうしたなかにあって、社会的に許容される意見の境界を越える最初の一歩を踏みだすことになるのは、キリスト教徒であり反ダーウィン主義者のローレンス・オースター(93)［Lawrence Auster：エッセイスト、ブロガー。小説家ポール・オースターの従兄弟。人種差別主義者であることを公言］である。「伝統主義的保守主義者」を自任するこの人物は、「実質をともなった」（つまり民族的で人種的な）国民意識を擁護し、人種間の差別を認めないリベラル派の基本原則に反対している。そしてリストに挙がったブログを読みすすめ、モールドバグが注意深く切りとってみせた領域の外縁が綻びを見せていく「タンスターフル(94)」のところまでたどりついた読者は、崩壊へと向かう軌道のなかへと入っていき、現代の政治的可能性の真っ只中に隠された巨大なブラック・ホールのなかへと、螺旋を描きながら落ちていくことになる。

ホワイト・ナショナリストたちの自己認識

だがタンスターフルをその典型とするような者たちが光の差さない決定的な深淵に吸いこまれていくのを見ていく前に、ホワイト・ナショナリストたちがこの世界をどのように考えているかや、彼らの存在がいったいなにを暗示しているかという点について、いくつか事前に指摘しておくべきことがある。白人のアイデンティティ・ポリティクスの信奉者たちは、（たとえ文化的な真冬のなかにいることを余儀なくされたとしても、超自然的なものからの承認によって暖を取ることのできる）キリスト教の伝統主義者たち以上に、自分たちは**包囲されている**のだと感じている。すでに一線を越え、その先にある言葉のなかで自らを定義しはじめる者たちのそうした懸念が、月並みで慎重な話題によって和らぐことはありえない。一線を越えた先にある領域に没頭するなかで求められていくのはむしろ、極端な危機感や人種的なパニックといった状態へと向かって激しく加速していくことの方である。ホワイト・ナショナリストたちのそうした行動は、政府の手で悪意ある人口の置換がおこなわれているのだとする彼らなりの分析にもとづいている。この文脈で彼らは、しばしばベルトルト・ブレヒト［Bertolt Brecht：ドイツの詩人、劇作家］の言葉を引き、そうした操作をおこなう政府は、「いまある人民を解散し、新たに別のものを指名することに決めた(95)」のだと考えている。つまり彼らにとって「白人性」とは、（生物学的な観点から見ても、また神秘的な観点から見ても、あるいはその両方から見ても）脆弱性や壊れやすさと結びついているものであり、ひいては迫害と結びついているものなのである。こうした主題はひじょうに根本的なものであり、またひじょうに多岐にわたるものでもあるため、限られたなかでそれを適切に検討するのは難しい。彼らが自分たちの

(93) http://www.amnation.com/vfr/［オースターのブログのトップへのリンク。］
(94)［訳注］Tanstaafl：ブログ「反逆の時代」（Age of Treason）を運営するブロガー。筆名として採用されているのは、「無料のランチみたいなものはない」（There ain't no such thing as a free lunch）という慣用句の略記で、「タダほど高いものはない」、「うまい話に騙されるな」ほどの意味。
(95)［訳注］ブレヒトの一九五三年の詩「解決策」（Die Lösung）からの引用。同年に起きた東ベルリン暴動を題材とする。暴動の鎮圧を受け、人民たちが政府からの信用を取りもどすためには、労働ノルマを増やしていくべきだとする東ドイツ作家連盟のコミュニケを踏まえてブレヒトは、「（……）いっそのことこのさい／いまある人民を解散して／新たに別のものを指名することに決めた方が／政府にとって楽だろうに」と書いている。つまり人種をめぐって「パニック」に陥っている「ホワイト・ナショナリスト」たちはここで、ブレヒトの皮肉を字義どおりに解釈していることになる。

白人性と結びつけて考えている迫害のなかにはたとえば、犯罪的な侵害行為（ことに人種を原因とした殺人や強姦や傷害）からはじまって、経済的な強請、逆差別、アカデミズムやメディアのシステムによる敵意をもった文化的侵犯、そして究極的な「大量虐殺《ジェノサイド》」――いいかえれば人種の決定的な破壊――に至るまで、ありとあらゆるものが含まれる。

ホワイト・ナショナリストたちはたいていの場合、白人種の将来的な絶滅の原因となるのは、それを特徴づけている文化的な特性（度を越した利他主義、道徳の扱いにたいする敏感さ、過度の受容性、他者にたいする信頼、分けへだてのない相互扶助、罪の意識、個人主義にもとづいた集団的なアイデンティティにたいする軽視）であれ、より直接的な生物学的要因（失われやすいアーリア人の表現型[96]を支える潜性遺伝子）であれ、いずれにせよ白人という人種そのものに固有の体系的な脆弱さなのだと考えている。にわかには信じがたいことだが、彼らのそうした独特な危機感は、その基本的な構造のレヴェルにおいて、「白にすこしでも色が混ざれば、それはもう白ではなくなる《ホワイト・プラス・カラー・イコール・カラー》」という色彩にかんする定式に還元することができる。自らの非対称的な脆弱性にかんするその抽象的な説明を見るかぎり、そこには（メンデル主義的な顕性遺伝子と潜性遺伝子の組みあわせをもとにした）「一滴の掟《ワンドロップ・ルール》」[97]が存在しているのだ。つまり混血は、本質的なレヴェルで反白人的なものと見なされているわけである。

「白人性《ホワイトネス》＝白さ」とは一つの極限を（つまり純粋な色彩の不在を）意味するものであり、だからこそそれはすぐに、コーカソイドの亜種であるという生物学的な事実の次元から、形而上学的で神秘的な発想へと横滑りしていくことになる。白色人種というものは、自らの種に遺伝子的な変化を蓄積していくものではなく、むしろ否定性そのものであるそのあり方を弱めてしまう人種の混交によって不純化され、汚染されていく定めにあるものなのだ――したがってほんのすこしでもそれを黒ずませることはそのまま、その破壊を意味することになるのである。こういった――もっぱら意識下の――連想に備わった神話的な密度によって、白人のアイデンティティ・ポリティクスは、合理的な告発というレヴェルでなされる啓蒙的な努力の数々を無効にするような復元力を獲得するが、しかしこれは、その被害妄想的な自己表象と矛盾するものである。さらにいえばそうした連想は、絶滅からの平等な保護を暴力的に奪われた「ネイティヴ」として白人を表象し、自分たちは先住民が広く直面している脅威に正確に対応するような人種的脅威にさらされているのだとする、そんな近年のホワイト・ナショナリズムの主張を、その土台から危うくするものでもある。部族的な無垢さに戻る道はなく、かといって水平的な生物学的多様性に戻る道も存在しない。たとえどんな道がとられようと白人性というものは、その隅から隅まで隙間なくイデオロギーに満たされてしまっているものなのだ。

反ユダヤ主義という「ブラック・ホール」

「黒人にはあり、ヒスパニックにはあり、ユダヤ人にもあって、ではなぜわれわれにはそれがないのか」――この問いこそが、ホワイト・ナショナリストたちの不満を完成させる最後の構成要素で

（96）［訳注］phenotypes：ある生物がじっさいに示す外見上の形態的、生理的特質を指す遺伝学の用語。その生物が潜在的にもつ遺伝子構成を意味する遺伝子型（genotypes）と対になる言葉。
（97）［訳注］優生学の流行を背景にして二〇世紀初頭のアメリカで生まれた、少しでもアフリカ系の血が混じっていれば黒人と見なす発想。

あり、彼らが怪物にしかなりえないことを決定づける狼男の呪い[98]である。悩み苦しむ白人たちにとって、外に出るための道はただ一つしかないが、しかしその道は、一直線にブラック・ホールへと通じている。先に断っておいたとおり、あらためてここでタンスターフルの問題に戻ろう。取りあげてみたいのは、二〇〇七年の夏の終わりごろ、別の投稿で彼が「ユダヤ人の件[99]」を持ちだした直後の記事[100]である。ここに読まれるタンスターフルの洞察にはことさらに独創的な部分があるわけではないが、しかしその独創性のなさという事実それ自体が彼の議論の要点なのだといえる。自らの過去の文章を引用するかたちで、彼は次のように述べている。

PC[101]の台頭やそれがもたらした破滅的な帰結をめぐって、キリスト教やワスプ[102]を非難しようと考えるのだとしたら、それほど馬鹿げた話もない。じっさいそんなふうに考えたのでは、真実を逆転させることになってしまう。むしろPCの台頭とその伝播こそが、キリスト教やワスプの、さらにいえば白人全般の力をじょじょに奪っていったものなのだというべきだ。彼らを非難したのでは、被害者を非難することになってしまう。

じっさいPCによる洗脳で堕落してしまったキリスト教徒やワスプや白人たちはたしかに存在する。そしてそのなかには、心の底まで深くそれを受けいれてしまったがために、いまではPCを広め、それを護るために動いている者たちもいる。それがPCというものの性質なのだ。それがその目的なのである。PCは人の心を管理し、破壊しようと試みる。左派はその根本において、もっぱら破壊することにかかわるものなのだ。

なにも反ユダヤ主義者にならずとも、こうした発想がどこからやってきて、誰に利益をもたらしていくのかを指摘することはできる。だがそれはユダヤ人なのだと、はっきりとそう口に出すのだとしたら、かならずPCなるものに背かざるをえないことになる。

(98)［訳注］ヨーロッパにおいて半人半獣の狼男という形象は、伝統的に共同体に災厄をもたらす存在と考えられてきた。また中世に入り宗教的な異端が問題になると、狼男は異端者と関連づけられ、悪魔の化身とも見なされて、弾圧の対象とされた。

(99) https://www.theamericanconservative.com/2013/10/17/10-books-children-should-read/25/［リンク先にあるのは、保守系のニュース・サイト『アメリカン・コンサヴァティヴ』に掲載された「子供たちが読むべき本一〇選」という二〇一三年の記事で、あきらかに文脈にそぐわない。正しくはおそらく、二〇〇三年に同サイトに掲載された、保守派のジャーナリストのジョン・ダービーシャーによる記事への参照を促しているものとおもわれる（文末のURLを参照）。「反ユダヤ主義者たちのマルクス」と題し、進化心理学者ケヴィン・マクドナルド（Kevin MacDonald）の反ユダヤ主義的な議論を紹介するこの記事の冒頭でダービーシャーは、アメリカの保守たちのあいだで、いかに「ユダヤ人の件」に触れることがタブー視されているかについて書いている。なおダービーシャーについては、PART 4a 以降の議論を参照。https://www.theamericanconservative.com/articles/the-marx-of-the-anti-semites/］

(100) http://age-of-treason.com/?s=committing+pcs+most+mortal+sin［自身のサイトに掲載していたらしい先出のブロガー、タンスターフルによる記事「政治的正しさという宗教においてもっとも重大な罪を犯すこと」へのリンク。その起源の一つとしてフランクフルト学派のユダヤ人を挙げ、PCを宗教と規定して批判していくこの二〇〇七年九月の記事は、ウェイバックマシン上も含め現在すでに削除されているが、反ユダヤ主義系の論説サイト『デイリー・ストーマー』でその再録を読むことができる。以下のURLを参照。https://dailystormer.name/committing-the-most-mortal-sin-of-religion-of-political-correctness/］

(101)［訳注］人種や性別や文化等々の違いによる偏見や差別を廃した、公正・中立な言動を目指すべきだとする考え方を意味する、「政治的正しさ」（Political Correctness）の略記。

ここで彼は、おなじみの迷宮に迷いこみ、憐れなほど不自然でステレオタイプ的な回路を備えた罠に捕らえられている。「なぜわれわれはアマゾンのインディオたちのように手厚い人種的な保護を受けることができないのか。どうしてわれわれはいつもネオ・ナチだと見なされてしまうのだろう。なにか陰謀があるに違いない、そうだ、**ユダヤ人に違いない**」というわけである。二〇世紀のなかば以来ずっと、グローバル化した世界のなかで見られる政治的に強烈な表現は、ほぼ一つの例外もなく第三帝国[103]が壊滅したあとの灰の山のなかから生まれつづけている。そこにあるパターンを理解しないかぎり、いったいなぜ避けがたくそんなことになってしまうのかはほとんど神秘的とさえいえるほどである。先に述べたとおり、「ホワイト・ナショナリズム」という比較的穏当なカテゴリーに分類されるブログをリスト化したあとで、モールドバグは次のように警告している[104]。

インターネットは数多くの純粋に人種主義的なブログのホームでもある。そうしたブログの大半はたんに読む価値のないようなものだが、しかしなかには比較的力のある書き手によって運営されているものもある（……）。それらの人種主義的なブログのなかには、人種にかんする罵詈雑言や反ユダヤ主義などが見つかる（なぜ私が反ユダヤ主義者ではないかについてはこのリンク[105]を参照）。そのどれをとってもあきらかに、私から読むように勧められるようなものではないし、ここでそのリンクをはろうともおもわない。しかし現代の人種主義者たちがなにを考えているかに興味をもつ者は、グーグルによってそうしたブログまで導かれていくことになるわけである。

リベラルな民主主義こそが、結果としてホワイト・ナショナリストたちのネットワークを生みだしている

グーグルはつねに過剰なものでありつづけている。いくつかのリンクを経由するだけで、そうしたブログにたどりつけてしまうのだから。グーグルには「六次の隔たり」(106)のような問題が備わっているのだといえる（というよりもじっさいには、その隔たりは二次、あるいはそれ以下だというべきだろう）。現実に存在している「反動圏《リアクトスフィア》」を調べはじめると、事態はあっというまに、本当に驚くほど醜悪なものになっていく。そこには間違いなく「憎悪《ヘイト》」が、パニックが、嫌悪が存在し、残忍で辛辣なウィットが病的で中毒的な量で存在し、自らの議論を信じるにたるものにするための事実《ファクト》

（102）［訳注］ＷＡＳＰ：アングロサクソン系でプロテスタントの白人（White Anglo-Saxon Protestant）の略記。アメリカの初期の入植者の子孫で、公民権運動以後の情勢によって相対化されるまで、長らくアメリカ社会の支配層と見なされてきた。
（103）［訳注］Third Reich：神聖ローマ帝国、ビスマルクによるドイツ帝国を受けつぐ、来るべき理想の国家を意味するものとして、ナチス・ドイツが自称した呼称。
（104）http://unqualified-reservations.blogspot.com/2007/11/why-i-am-not-white-nationalist.html［モールドバグの記事「なぜ私はホワイト・ナショナリストではないか」へのリンク。つづく引用を含め、以降このパートでの引用はすべてこの記事からのもの。］
（105）http://unqualified-reservations.blogspot.com/2007/06/why-i-am-not-anti-semite.html［モールドバグの記事「なぜ私は反ユダヤ主義者ではないか」へのリンク。ユダヤ人たちは亡命先の共同体のエリート層を模倣しているにすぎず、それ自体として批判すべき内実をもたないと述べ、真に問題なのは世界的な覇権を握るプロテスタンティズムなのだとする。］
（106）［訳注］すべての人は、六つのプロセス以内で芋づる式に繫がっているとする考え。

が、当惑するほどに堂々たる量をもって存在している（そうしたことを書いている者たちは、たまらないほどに統計学を**愛している**のだ）。そしてなにより、ある範囲を超えるとそこには、ブラック・ホールが存在している。もし反動が一般にも広がる運動になるとしたら、ブルジョア的な（あるいは優雅で「貴族的な」）礼儀作法という心もとない細い糸で、いつまでもこの獣を繋ぎとめておくことはまず不可能なことになるだろう。

リベラル派が知的な誠実さを自分たちの心得と見なすのをやめ、酷薄な真実から手を放したことによって、そうした真実は新たな支持者を見いだすことになり、以前よりはるかに酷薄なものと化すことになった。その結果としてもたらされる事態は、機械的に単調で予測可能なものである。つまり、リベラルで民主主義的な「大義を掲げる戦争」はかならず、それが相手にするものを強化し、野獣化させることになるのだ。貧困にたいする戦争は下層階級の慢性的な機能不全を生みだし、ドラッグにたいする戦争は純度を上げたさらに強力なドラッグと巨大なマフィア組織を生みだす。だとすればどうなるか。政治的不正さ《ポリティカル・インコレクトネス》にたいする戦争は、データに力を与えられ、網状に連携し、パラノイア的にあらゆるものと共謀する、そんな狼男たちの群れを生みだすことになる。そして（これまでの歴史を踏まえた類推が外れることのないかぎり）彼らはいま、やがてくるリベラルな民主主義と破壊的な現実との邂逅に乗じて、ほとんど想像もできないような不愉快さを解きはなつという自らの役割を果たすのに、これ以上ないほど絶好の位置につけている。人間どうしの差異についての実情に即し事実にもとづく健全な話しあいがイデオロギー的な独断によって禁じられている場合、[107]そうした議論の代わりに生じることになるのは、永遠平和にもとづいた穏やかな世界などではなく、いよいよ自覚的になり好戦的になっていく不敵な**思想犯罪**の悪化に他ならない。そうした犯罪は、公には認められていない現実の数々によって糧を与えられ、強く自分たちの祖先を志向していくあからさまに反体制的な神話によって活気を帯びていく。彼らがかたちづくっている「網《ネット》」の上を見るかぎり、以上のような事態は一目瞭然なことなのである。

ホワイト・ナショナリズムの真の危険性——人間の生物学的多様性にたいする注目

モールドバグはホワイト・ナショナリズムの危険性を、一方では過小に評価し、同時にもう一方では過大に評価している。ある面からいえば、そこで問題になる「脅威」は単純に馬鹿げたものであり、新たなピューリタニズムの宗教的教義が、きわめてヒステリックかつ攻撃的で、手に負えないほど愚かなかたちで表現されたものにすぎないものだ。モールドバグはそれを、「有史以来もっとも周縁化され、もっとも社会的に排除されてきた信仰の体系であり〔……〕、刺青だらけでスピード狂のバイク乗りたちが歓迎されないように、どんな集団にもかかならず見つかるはた迷惑な社会の刺激物である」と表現し、そのうえで次のように述べている。「私自身はホワイト・ナショナリストではないが、かといってどうしてもそうしたものに耐えられないわけではないと感じている」。とはいえそこには、危険性も残されている。というよりもそれは、**いままさに作りだされている**

(107) http://www.gnxp.com/blog/2007/10/james-watson-tells-inconvenient-truth_296.php［遺伝学者ラジブ・カーン（Razib Khan）のブログに掲載された、HBDのブロガー、ジェイソン・マロイ（Jason Malloy）の記事「ジェームズ・ワトソンの告げる不都合な真実」へのリンク。分子生物学者ジェームズ・ワトソン（James Watson）の議論が、実証的なデータにもとづくものであるにもかかわらず、差別主義的であるとして不当に軽んじられていることを告発する。］

のだ。

ホワイト・ナショナリズムを真に危険なものに変えかねない一つの可能性が考えられる。つまりホワイト・ナショナリズムは、彼らだけが正しく、他のすべての者たちが間違っているような問題が存在する場合に危険なものになるのだといえる。真実はつねに危険なものである。一般に信じられていることとは反対に、それはつねに知れわたっているものではない。だがかといって、真実に背を向けるのは間違いなくよくない発想だ。（……）人間の知性にかんする生物学的多様性という事実は、疑いなく議論に値するものであり、（……）過去五〇年間のあいだ、ホワイト・ナショナリスト以外の者たちがみな、そんなものについて議論する価値はないと教えつづけてきた（……）［にもかかわらず］、それが議論に値するものであるということは、議論の余地のないことである（……）。

比較を絶する絶対悪として機能するヒトラーの名

いつもどおりモールドバグの議論はここから、さらに先へと進んでいくことになる。最終的に彼は、なぜ自分がホワイト・ナショナリズムを退けるのかを説明していくことになるのだが、しかしその説明は、この問題にかんして考えられうるありきたりの反応にはなに一つとして負っていない地点からなされていく[108]。だがたんに才気走ったものというレヴェルを超えて、ほとんど天才的なものといえるこのモールドバグの文章の暗黒の心臓部は、次に引用するその前半の段階で、つまりブラック・ホールの入口が指摘されている箇所においてすでに登場している。

いったいなぜわれわれは、ホワイト・ナショナリズムを悪だと感じるのか。なぜならヒトラーはホワイト・ナショナリストだからであり、そしてヒトラーは悪だからだ。この二つの命題がたとえわずかにでも議論を生むことはありえない。したがって正確にいえば、ホワイト・ナショナリズムと悪という独立した二つのもののあいだには、両者を結びつける一つの尺度が存在していることになる。その尺度とはつまり、ヒトラーである。繰りかえす。ヒトラーである。

　ホワイト・ナショナリズムは悪であるという議論には、一滴の水も漏らさないような厳密さ《ウォータータイト》が備わっているように見える（あるいはそれを、一人のヒトラーも生みだすまいとする厳密さ《ヒトラータイト》といってみてもいい）。だがそもそもそのなかには、水などまったく入っていないのだ。

　ではいったいなぜわれわれは、社会主義を悪だと感じるのか。なぜならスターリンは社会主義者だったからであり、そしてスターリンは悪だったからだ。じっさい、スターリンはヒトラーより悪ではないと真剣に議論しようとおもうなら、すさまじい労力が求められることになる。スターリンはヒトラーよりも多くの殺人を指示していただけでなく、彼の殺人機械は平時においてそ

（108）［訳注］ここでは示唆するだけにとどめられているが、モールドバグはその議論の後半で、「ホワイト・ナショナリズムの最大の問題点」として、ホワイト・ナショナリズムがけっきょくのところナショナリズムであることを挙げている。ナショナリズムがかならず国民国家《ネイション》を前提にし、ひいては民主主義をその前提にする以上、自分はホワイト・ナショナリズムを支持しないのだというわけである。一方で、〈普遍主義〉も「この惑星それ自体」を「ただ一つの国民国家《ネイション》」と見なそうとするナショナリズムの一種なのだとされ、「フィクションをフィクションで打ち負かすことはできない」とも述べられる。

のピークを迎えるものだった。だがヒトラーのそれは、すくなくとも敵国の市民たちに向けられた戦争犯罪だと考えることができる。こういった点に違いを認めるかどうかは議論の分かれるところだが、もしそこに違いがあるとするなら、スターリンこそが悪における頂点であることになる。

だがにもかかわらず、私自身、社会主義にたいする「危険信号《レッド・フラッグ》」の反応を［つまりそこに「悪が存在しているという感覚」を］感じたこともなければ、他の誰かがそうした反応を示しているのを見たこともない。もし仮に、現代風の身なりをした若者たちの群れが、聖人のように描かれたラインハルト・ハイドリヒ［Reinhard Heydrich：ナチス親衛隊大将。ホロコースト計画の実質的推進者］の伝記映画のチケット売り場に列をなしているのを見たとしたら、私はきっと背筋の寒くなるおもいをすることになるはずである。だが［現実にそうした映画が作られている］エルネスト・ゲバラ［Ernesto Guevara：キューバの革命家。フィデル・カストロとともにキューバの社会主義革命を主導］にたいしては、なんの感情的な反応も起こらないのだ。おそらくこれは愚かで、悲しいことなのだろう。じっさいそのとおりだと頭では分かっている。しかしその名前が私を激昂させるようなことはないのだ。

ナチズムを東アジア諸国の全体主義と比較することの無効性

「モールドバグがスターリンやゲバラとの比較によって照射しているとおり、」道徳にかんする問題のなかで他のなにかをもちだして、そのなにかとヒトラーとの微妙な差異に注目し、二つを比較検討して、事態を相対化しようとするのだとしたら、その名前とともに生じている現象の性質を完全に取り違えることになる。こうした取り違えは、たとえばアジア諸国の社会のなかにおいてかなりの頻度で指摘されることである。というのも、じっさいにはそんなことはないにもかかわらず、――〈大聖堂《カテドラル》〉の介入が限定される――それらの国々においては、第三帝国の亡霊がその歴史の、さらにいえばその**宗教**の中心的な位置を占めているのだと（そしてほとんどあらゆる点で、それは成功しているのだと）見なされることがあるからだ。それを踏まえてここで、文化間における誤解や、二つのあいだに生じる盲目状態について、少しの間脱線しておくのも無駄ではないだろう。西洋人が、東アジアに見られるような現代的全体主義をともなう、「皇帝としての神」を崇めるタイプの政治的信仰に注目する場合、そこから引きだされる典型的な結論は次のようなものになる。つまり西洋人にとって政治的感覚についてのそうしたパターンは、異国的で異質なものであり、病状として興味をそそるものだが、しかしけっきょくのところ、――まったくといっていいほどに――理解できないものに留まるのだ。したがって現代においてそれを、滑稽なほど無数に存在する西洋の民主主義的な指導者たちと比較してみせることは、下手に擬似マルクス主義的なものをもちだしてそれを「封建的」な感受性と比較してみせるのと同様、混乱を深めることにしかならない（じっさいそんなことをしたのでは、絶対君主制が封建制にたいするオルタナティヴではないかのようであり、東アジア諸国ではまるで絶対君主が崇められているかのようである）。**歴史的かつ政治的な象徴的人物にたいして、絶対的な宗教的目的がもつ超越的な尊厳が与えられるなどということが、いったいどうすれば可能になるというのだろうか。**そんなことは馬鹿げているように見えるのだが……。

ヒトラー主義――〈普遍主義〉の新たな信仰形態

「だけど注意してほしい、ここで私はなにも、ヒトラーがことさらにいい奴だったなどといってるわけじゃない……」――いまこの文章を書きながら、私の心にこうした言葉が浮かんでくるという事実がすでに、数多くのことを語っている。たとえばこの事実は、次のような問いさえ喚起するものであるはずだ。その問いとはつまり、（〈大聖堂《カテドラル》〉によって支配された）グローバル化された世界のなかで、いまだにヒトラーが悪魔の王よりも悪ではないと考えている人間など存在するのだろうか、というものである。そんなことを考えているのはおそらく、（サタンは本当に、**本当に**悪なのだと頑なに主張してやまない）ごくわずかな古いキリスト教徒と、（ヒトラーをクールな人間だと考えている）それよりもさらに数の少ない熱狂的なネオ・ナチだけだろう。つまりほとんどすべての人間にとってヒトラーとは、悪魔的な怪物性を**完璧に**人格化した者なのだ。それは歴史も政治も超越したすえに形而上学的な絶対という地位にまで上昇した存在であり、ようするに受肉した悪そのものなのである。だからこそヒトラーを超えてその先へと進むことも、ヒトラーを超えて思考することも不可能なことになる。こうした事態は、歴史のなかに無限が――つまり、逆転してはいるが構造的にはよく知られたものであるアブラハム型の宗教的な啓示が――侵入していることを示唆している点で、ひじょうに興味深いものだといえる（同様の論点はすでに、「ホロコースト神学」[109]のなかで提示されている）。

以上のことを踏まえるなら、ヒトラーをサタンとではなく反キリスト[110]と、つまり反転して対極の道徳性をもった鏡像的なメシアと比較してみた方がより有益かもしれない。その墓のなかにはなにも入っていないとされていたことさえあったのだ[111]。したがってそれを中立的な立場から受けとるかぎり、**ヒトラー主義**とは、親ナチ的なイデオロギーの一種などではなく、普遍主義の新たな信仰なのだといえる。それはアブラハム的な宗教から派生したその新種として生みだされた信仰であり、この世界への純粋な悪の到来を認めることをとおして一つになった信仰なのである。とはいえそれは、（あえてヒトラーを崇拝する著しく評判の悪い集団とはまた別に）じっさいにヒトラーを崇拝するわけではない。むしろ宗教的な厳密さをもって、ちょうど神学的な「最重要事項」に接するときのようなやり方でそれを忌避していくのだ。ヒトラーを神として採用するなど、（控えめにいっても）政治と宗教の両面にかかわるきわめて嘆かわしい混乱のしるしに他ならないことだが、しかしそれがもつ歴史的な特異性や、その宗教的な意義を認めることは、ほとんど義務ともいえることになる。なぜならヒトラーは、健全な信仰をもつすべての人間から、受肉した神に厳密に対応するその補完物（つまり啓示を受けた反メシアや、あるいはサタンのようなもの）だと考えられているからである。

---

(109)［訳注］第二次大戦後のヨーロッパで興った、ナチスによるユダヤ人の大量虐殺という事実を神学的体系のなかにどう位置づけるかをめぐる議論の総体にたいする呼称。

(110)［訳注］イエス・キリストに偽装して、その教えに背き、世に混乱をもたらす者のこと。反メシアとも。具体的には異端者や偽預言者を指し、悪魔が具現化した存在と考えられた。『新約聖書』のうちの『ヨハネの手紙』に由来。

(111)［訳注］ソ連によって押収されたヒトラーの遺骸は、死後の崇拝を避けるため秘密裏に埋葬され、のちに掘りおこされたうえ川に散骨されている。だがこうした事実はソ連崩壊後まで公にはされず、さまざまなレヴェルでその生存説が語られつづけていく。したがってこの箇所は、ヒトラーの遺骸にかんするそうした事情を、イエスの墓は空だったとしてその復活を強調する福音書のなかの記述になぞらえ、その反転したメシアとしての性格を印象づけているのだろう。

り、そしてそうした同一化は、「自明の真実」としての強制力をもつものだからだ（ヒトラーへの還元《リダクティオ・アド・ヒトラーアム》[112]がなぜ機能するのかをあえて尋ねる人間が、これまでただ一人でも存在しただろうか）。

都合のいいことに（嫌悪療法としての）[113]ヒトラー主義は、その内部に含まれる世俗化された新たなピューリタニズムと同様、著しく高い宗教的強度を損なうことのないまま、なんの問題もなくアメリカの学校のなかで教えることができるものだ。この事実は、進歩主義的な歴史が――いいかえればあらかじめ決められたプログラムに則った歴史が――このままつづいていくかぎり、〈聖ヒトラー嫌悪教会〉の教義がそれに先立つアブラハム的な信仰の形態を押しのけ、世界中で勝利を収める統一的な信仰になっていくことを示唆している。すくなくとも、そうならない保証はどこにも存在していない。けっきょくのところこの信仰は、ありきたりの理神論[114]とは異なり、宗教的な熱狂と啓蒙的な見識とを全面的に和解させるものなのだといえる。それは見事なまでに水陸両用的な力を備え、大衆的な儀式が生む痙攣的な恍惚《エクスタシー》と、「〈大聖堂《カテドラル》〉の伝達機関の筆頭とされる」『ニューヨーク・タイムズ』紙の投書欄の両方にたいして、等しく影響を与えていく。「かつてわれわれのすぐ側にあった絶対的な悪は、いまも変わらず存在している……」。こうした発想こそがすでに、われわれの時代の主たる宗教的メッセージに他ならないものなのである。未完のままに残されているのはこのメッセージを神話的に強化することだけだが、それもうずっと以前から進行中である。

より健全な話題へと向かうまえに、[PART 5のなかで]ホワイト・ナショナリズムの灰と残骸のなかから拾っておくべき骨のかけらがまだ残されている……[115]。

(112)［訳注］ある命題をいったん偽と見なし、そこに生じる矛盾点を指摘することでその命題が真であることを結論づける論理学における証明法、「背理法《リダクティオ・アド・アブサーダム》」（＝「背理への還元」）を踏まえた擬似ラテン語表現。ようするにここでは、ホワイト・ナショナリズムにかかわる議論のすべてをヒトラーに還元して封殺してしまう論法ほどの意味だと考えればいいだろう。

(113)［訳注］心理療法の一種。依存症などにたいする治療として、不適切な行動がなされたさいに（電気ショックなどで）あえて嫌悪感を生むような刺激を与え、その反復によってそうした行動を排そうとする技法。

(114)［訳注］創造主としての神の存在は認めつつ、創造された世界を統べる人格神としての性格は認めず、奇跡や啓示や預言などの非合理的なものを否定する信仰上の立場。狭義には啓蒙時代の合理主義的宗教観を指す。

(115)［訳注］ここで予告されている「PART 5」はけっきょく書かれておらず、PART 4a 以降は本編からの「脱線」として継続されていく。

PART 4a

人種にかんする恐怖をめぐるいくつかの副次的脱線(116)

前回までのパートを踏まえこれ以降のパートでは、本編からの「脱線」として、このテクストの執筆中に起こったある事件が取りあげられていく。その事件とは、人種主義的な記事を発表したとして、ジャーナリストであるジョン・ダービーシャーが保守派大手の論説誌『ナショナル・レヴュー』から解雇されるというスキャンダルである。

事件をめぐる騒動を読みとく前提としてランドはまず、〈大聖堂《カテドラル》〉の統治下におけるある種のねじれの存在を指摘する。都市の荒廃にかかわるはずの問題が、「白人たちの逃避《ホワイト・フライト》」という人種的な対立を喚起する名前で呼ばれていることからもあきらかなとおり、アメリカにおける社会問題はおうおうにして、白人と黒人という二つの極のあいだの不和、すなわち「人種問題」として表現されるというのだ。そしてそうした「人種問題」はさらに、リベラルと保守の対立として表現され、前者の圧倒的な勝利のなかで展開されていくことになる。

以上を踏まえつつランドは、ダービーシャーの記事のなかに、〈大聖堂《カテドラル》〉によって設定された二項対立を超え、出口《イグジット》へと向かおうとする暗黒啓蒙の衝動を見いだしていく。

この件にかんしていま私自身が感じているのは、たとえば次のようなことです。つまり、現状を見ずに楽観し、間違った考えや期限ぎれの理論にいつまでも固執して、私のような人間にたいして悲鳴や呪詛の言葉を向ける、そんな態度の奥底には、深く冷たい絶望があるのだとおもうのです。心の底で私たちは、人種間の調和がもたらされるとは考えていない。だからこそ分離へと向かう動向が存在しているのです。私たちはむしろ、おたがいに離れて暮らしたいと考えている。ですがアメリカ人のような道徳的で楽天的な人々にとって、この絶望は耐えがたいものだ。それは遠ざけられていて、考える必要のないものと見なされている。誰かがそれについて考えるように強いると、怒りをともなう反応が返ってくることになるのです。皇帝の新しい服についてのアンデルセンの物語(117)に登場する小さな男の子のことは覚えていますか。怒りに燃え叫び声をあげる市民たちからなる群衆によって男の子がリンチされていたとしたら、あの話の結末にはもっとリアリティがあったはずです。

――ジョン・ダービーシャー［John Derbyshire：保守派ジャーナリスト］、『ゴーカー』でのインタヴュー(118)

(116)［訳注］二〇一二年四月一九日更新。
(117)［訳注］アンデルセンの童話「皇帝の新しい服」、すなわちいわゆる〈裸の王様〉の逸話を指す。

われわれは――人種を問わず、また知性の比較にかんして科学がわれわれになにを告げているかや、犯罪統計学からどんなデータが収集されているかを問わず――すべての人間には平等な尊厳があり、平等な良識が期待できると信じこんでいる。だが重要なのは、研究がなされることであり、結論が不正に操作されないことであり、そしてその結論がわれわれに告げていることについて自由に発言することである。問題は、個別的な人間がさまざまな状況でどんなふうに扱われるべきかについての先験的《ア・プリオリ》な結論のための――あるいは人種という要素のみにもとづいて誰を恐れ、誰と付きあうかを判断するための議論などではないのだ。しかるべきかたちで議論を生み、それを広めていかないかぎり、多元的な社会の解体を導いてしまうことになり、多州からなる統一国家《エ・プルリブス・ウヌム》［すなわちアメリカ合衆国］の息吹を衰えさせることになってしまう。

――『ナショナル・レヴュー』[119]からのダービーシャーの除名に抗議するアンドリュー・C・マッカーシー［Andrew C. McCarthy：ジャーナリスト、『ナショナル・レヴュー』編集者］

アフリカ系アメリカ人やリベラル派にとって（ということはつまり、その前提には白人の悪意が存在しているのだと考えた場合）、ダービーシャーの「例の話《ザ・トーク》」[120]は、喜劇的なまでに人を侮辱するものであることになる――（上記でバローが述べるとおり）彼らからすれば、アフリカ系アメリカ人たちが、法や自分たちどうしや他の人間たちを相手になにか揉め事を起こすさいの背景を指摘することは、誰にも許されないことなのだ。だがこの問題や、この問題についてのトレイヴォン事件(121)同様の異常な熱狂を理解する文脈としてふさわしいのは、暴力にたいする理にかなった恐れに他ならない。それこそが――たとえ口に出してはならないと命じられるとしても――、この件において唯一、早急に対処すべき事実なのだ。

――ダービーシャーの「解雇」を呼びかけるジョシュ・バロー［Josh Barro：ジャーナリスト］にたいするデニス・デイル［Dennis Dale：ブロガー。ブログ「拘束なし――さまざまなる異端」を運営］のコメント(122)

---

(118)［訳注］ダービーシャーが『ナショナル・レヴュー』を解雇された直後に『ゴーカー』誌に掲載された、ジャーナリストのモーリーン・オコナー（Maureen O'Connor）によるインタヴューからの引用。以下のURLを参照。https://gawker.com/5900452/i-may-give-up-writing-and-work-as-a-butler-interview-with-john-derbyshire

(119)［訳注］『ナショナル・レヴュー』ウェブ版に掲載された、マッカーシーの記事「ダーブの件」からの引用。タイトルのとおり、同誌同人としてダービーシャーの解雇に触れたもので、その人種主義は否としつつ、引用のとおり人間の生物学的多様性にかんする議論そのものの意義を強調している。なお「ダーブ」はダービーシャーの愛称。以下のURLを参照。https://www.nationalreview.com/corner/derb-andrew-c-mccarthy/

(120)［訳注］解雇の原因となったジョン・ダービーシャーによる記事「例の話《ザ・トーク》――非黒人版」を指す。このパートおよび次パートでその一端をランドが紹介していくとおりだが、二〇一二年四月五日付で公開された同記事はほどなくしてネット上で炎上。それを受け記事の媒体である『ナショナル・レヴュー』は、公開から二日後の四月七日付でダービーシャーの解雇を決定する。記事の詳しい内容については次パート以降の本文および訳注を参照。

まさに恐怖のなかに生きているっていう経験じゃないか。これこそが奴隷であるってことだ。

――『ブレードランナー』

西洋諸国における都市の荒廃

シンガポールや香港、台北や上海、あるいは東アジアの他の多くの都市のなかには、夜遅くまで歩きまわることのできないような場所はどこにも存在しない。すくなくとも暴行の脅威にかんするかぎり、女性たちは年齢を問わず、自分一人でも小さな子供と一緒にいても、時間帯や場所をとくに気にせずにいることができる。まったく完全とはいえないにしろ、こうした点は文明化された社会の定義にきわめて近いものだといえるだろう。いずれにせよそうした点が、文明化された社会を定義するさいに**欠くことのできないもの**であることは間違いない。逆の場合が意味するのは野蛮状態である。

環太平洋地域西側のそうした幸運な都市の数々は、地理学上の位置をその特徴とするものであると同時に、見ている側の決まりが悪くなるほど品行方正な西洋諸国の「モデル・マイノリティ」[123]をそっくりそのまま投影したような人口統計学上の共通点をもっている。そういった都市は、――生物学的な遺伝や深い文化的伝統、あるいは両者の解きがたい絡まりあいをその背景として――比較的努力を要さないまま友好的なかたちで社会的な相互作用を生んでいる、礼儀正しく慎重な人口集団によって、つまり継続的な強化に値する人口集団によって、(不愉快さを感じることのないままに）統治されている。同時にまた重要な点としてそこには、開かれたコスモポリタン的な社会が見いだされる。そうした社会に排外的な愛国主義が生む粗暴さや、被害妄想的で民族的なナショナリズムの感情が見いだされることはない。市民たちは、自分たちがもつ美徳を強調するのを避ける傾向にある。反対に彼らは、個人的にであれ集団的にであれ、自分たちに備わっていたり自分たちが達成したりした物事にかんして、控えめでいることが普通である。一方で失敗や短所にたいして異常に敏感で、たえず改善の機会に目を光らせている。怠慢や自足した態度はほとんど見られない。そうした都市のなかでは、——当たり前に想定されるはずの——社会的な恐怖という領域全体が、単純に存在していないのである。

だが西洋世界の大半においてはまったく反対に、野蛮が常態化している。都市のなかに「治安の悪い地域」が存在しているのは、いうまでもないことだと考えられている。そうした場所はたんに貧しいだけでなく、外からやってくる者たちにたいしても、またその住民たちにたいしても、命にかかわる脅威をもたらしている。観光客には近寄るべきではないと警告がなされ、地元の住民たち

(121)［訳注］二〇一二年二月二六日、フロリダ州サンフォードで、当時一七歳だった黒人青年トレイヴォン・マーティン（Trayvon Martin）が、当時二八歳で街の自警団をしていたヒスパニック系の青年ジョージ・ジーマーマン（George Zimmerman）と口論になった末に射殺された事件。直後に駆けつけた警察はジーマーマンの正当防衛を認め、数時間の拘束ののち彼を保釈している。だがマーティンが事件当時丸腰だったことなどから、当初の警察の判断は疑問視され、ジーマーマンにたいする十分な取り調べと逮捕を求める声が高まっていき、結果として全米を巻きこんだ抗議運動へと発展することになる。この気運はそのまま、黒人の差別待遇や警察官の暴虐性を争点として継続していき、翌二〇一三年から本格化するブラック・ライヴズ・マター運動（Black Lives Matter Movement）へと繋がっていく。

は自宅を要塞へと変えるべくあらゆる手を尽くしていく。日が落ちてからは通りに出ないようにし、そして――とくに若い男たちは――、自衛のために犯罪的なギャングと化していくことになる。結果としてもたらされているのは、万人にとっての安全のさらなる低下である。略奪者たちが公共の場を支配し、公園は死の危険をはらむ場所となり、攻撃的な威嚇の身ぶりは「必要な心がまえ」として賛美され、蓄財は引ったくり（あるいは強盗）だけの特権となり、教育を受けたいとおもえば馬鹿にされ、犯罪とかかわらない経済活動は文化の規範を破るものとして軽蔑される。つまり脈々と受けつがれてきた伝統や、周りの人間たちからの影響だけでなく、政治上のレトリックや経済的なインセンティヴまでをそのなかに含む、社会的で文化的な圧力のあからさまな構造の数々が、自己満足的な堕落を深め、自己陶冶を目指す力を容赦なく根絶やしにするために総動員されているわけである。そういった場所は文明がその根底から崩壊している場所なのであり、そしてそうした場所をそのなかに含む社会は、かなりの程度まで**失敗している**のだということは、まったくあきらかだといえる。

英語圏において強い影響力をもつ国々では目下、都市の構造やその発展は、都市をもとにした文明が崩壊していくプロセスそれ自体によって深く規定されている。多くの場合そのなかでは、激しい都市化やそれに対応した不動産価格の高騰が都心部において最大化するという、（こんにちではもはや「アジア的な」とも形容されている）「自然な」発展のパターンは、見る影もなく破壊されるか、あるいは少なくともその根底から別のものへと変わってしまっている。都市の中心部が社会的に解体されることによって、（わずかながらの）繁栄が郊外や準郊外の脱出先へと移っていき、結果として、グロテスクで歴史的に前例のない「ドーナツ」状の発展パターンが生みだされ、都市はまともな人間なら足を踏みいれるのを恐れるような、崩壊し腐敗した内部構造をかかえることを余儀なくされることに――あるいはたんにそうしたことに慣れていくことに――なったわけである。「インナー・シティ」[124]はもはや、歪みのない都市の発展行程が生みだすはずだったものと、ほぼま

(122)［訳注］この引用は経済誌『フォーブス』ウェブ版に掲載されたバローの記事「なぜ『ナショナル・レヴュー』はダービーシャーを解雇しなくてはならないか」のコメント欄に寄せられたデイルのコメントからのもの。前提としてまず、バローの記事の内容について補足しておく。記事のなかでまず彼は、トレイヴォン事件は真の問題から目を逸らすものであり、問われるべきなのは、黒人たちが起こしている犯罪の状況の方なのだとする『ナショナル・レヴュー』編集人の一人リッチ・ローリー（Rich Lowry）の議論を取りあげる。この議論はあまりにも偏ったものだとして各方面からすぐに批判されるが、しかしローリーは、自分はかならずしも特定の人種と犯罪を直接結びつけているわけではなく、統計的な事実を述べたまでだとして自説を曲げなかった。それにたいしバローは、だとすればローリーは、ひいては彼が編集する『ナショナル・レヴュー』は、疑いようもなく人種と犯罪性を結びつけている記事を発表したダービーシャーを解雇するのでなければ筋が通らないと主張している（次のＵＲＬを参照。https://www.forbes.com/sites/joshbarro/2012/04/06/why-national-review-must-fire-john-derbyshire/#2121d69e3737）。以上を受けてコメント者のデイルは、バローが述べているのは、黒人たちが「揉め事を起こすさいの背景を指摘すること」を禁じることに他ならないとして彼を批判し、ダービーシャーの記事が巻きおこした騒動に見るべきなのは、「暴力にたいする理にかなった恐れ」（つづく議論でのランドの表現によるなら「人種にかんする恐怖」ないし「パニック」）なのだと主張しているわけである。なおバローの記事のコメント欄はすでに閉じられており、現在ではここに引用されているデイルのコメントを確認することはできなかった。ただデイルは、自らの意見に同調するその他のコメントなどとあわせ、自身のブログに同じ内容を再録している。以下のＵＲＬを参照。http://dennisdale.blogspot.com/2012/04/comment-elsewhere.html

(123)［訳注］社会経済的な分野で、人口の平均値よりも高い成功を収める（民族、人種、宗教などにもとづいた）集団を意味する、人口統計学上の分類概念。

ったく正反対なものを意味することになっている。こうした都市の発展パターンは、西洋の――とくにアメリカの――社会問題を地理学的に表現したものであり、その実態は普段の暮らしのなかでは意識されないが、大気圏外からはつねにはっきりと可視化されている。

「白人たちの逃避《ホワイト・フライト》」という呼称――「人種問題」として表現される都市の荒廃

だが驚くべきことに、中心の壊滅したこのドーナツ状の発展パターンには、自覚のないまま広く受けいれられているある名前が付けられている。問題のおおよその輪郭を――すくなくとも起きている現象の副次的な性格にもとづいて――描くことで事態を把握し、結果としてかなりの精度で統計学的な近似値に迫っているその名前とは、**白人たちの逃避《ホワイト・フライト》**だ(125)。この表現は、さまざまな理由で印象的なものだといえる。なによりもまずそこには、――**いまだその勢いの衰えていない過去の遺物**として――数多くのレヴェルでアメリカの慢性的な社会的危機と共鳴するものである、人種的な双極性という事実が刻印されている。つまりそれは、まるで「過去は死んでいない、それは過去ですらない」というフォークナー［William Faulkner：アメリカの小説家。引用は後期の長編『尼僧への鎮魂歌』から］の言葉を完璧に裏書きするようにして、奴隷制や人種隔離の時代から受け継がれ、いまも機能しつづけている基準――多くの肌の色からなる多文化主義や移民が問題になる時代にあって、表面上はもはや廃れたものと見なされている基準――に立ち返っているのである。とはいえ、人種にかんする公平さが異常をきたしているこうした事態のなかにあってさえ、黒人性はそこから削除され、暗黙のうちに行為の主体であることから除外されている。それは触れられていない残余として、間接的なかたちでのみ言及され、激しく興奮する白人たちのパニックが生む変換機能によって、受動的で派生的な地位に限定されている。ようするにそこでは、**口に出すことのできないもの**の存在が、言及されないままにはっきりと示されているわけである。こうした分かりやすい沈黙には、文明によって無力化された恐怖や敵意をその原動力とする人種的な分離主義の静かな高まりという、対になるもう片方の表現がかならずともなうものであるにもかかわらず、事態の深刻さやそこにある相補的な構造は、公には認められないままに留まっている。

ピューリタンたちが〈旧世界〉から〈新世界〉へと脱出したことによって、英語話者によるグローバルな近代が創設されたわけだが、白人たちの逃避《ホワイト・フライト》はいま、それをほころばせ、解体しようとしている。近代の創設に先だって生じた移住の場合と同様、目下白人たちの逃避《ホワイト・フライト》という現象に無視できない重要性を与えているのは、それがもつ間接的な政治的性格である。すなわちそこには、**ただ出口だけがあり、いっさい声が存在していないのだ**《オール・イグジット・アンド・ノー・ヴォイス》。それは密かに進行し議論も生みださない社会民主主義の「他者」であり、社会民主主義的な夢の「他者」である――いいかえればそれは、はじめこそわずかに感じとられるだけだが、すぐに人々を覚醒させ、以降はもはや宥《なだ》めがたいものと化していく、自発的な暗黒啓蒙の衝動なのである。

中心の壊滅したドーナツ状の構造は、病んだ都市を特徴づける唯一のモデルであるわけではない

(124)［訳注］もともとはたんに大都市の中心部（都市内部の都市）を意味した言葉だが、こんにちでは、人口の郊外流出や建物の老朽化等さまざまな理由によって都市機能が衰退し、もっぱら低所得者層が居住する都心周辺部の地域を指す表現。

(125)［訳注］white flight：治安の悪化を理由として、中・上流階級の白人たちが非白人層の多いインナー・シティ地区から居住者の大半が白人である郊外や準郊外の地区へと「逃避」（flight）していく傾向を示す慣用表現。

（まったく異なるモデルとしてたとえば、マイク・デイヴィス［Mike Davis：都市社会学者、批評家］が『スラムの惑星』[126]で強調している都市周縁部のスラム化現象が挙げられる）。また都市がドーナツ状に発展してしまう理由は、すくなくともその起源をたどるかぎり、人種的な危機に還元されるようなものでもない。その発展には、（ブルジョアたちにとっての牧歌としての郊外の建設のような）長年にわたる文化的伝統だけではなく、そうしたものとはまったく異なるテクノロジー的な要素（なかでもとくに顕著なものとして、自動車を前提に再編された地理学が挙げられる）が、決定的な役割を果たしてきた。しかしそうした影響関係の大部分は、過去から受け継がれ、いま現在も生みだされている「人種問題」に取って代わられ、すくなくともそれに従属させられつづけている。

「人種問題」は、実質的に保守とリベラルの対立としてあらわれる

だがそこでいわれる「問題」とはいったいなんのことなのだろうか。それはいったいどんなふうに生じているというのか。そもそもなぜアメリカの外の人間がその「問題」にかかわるべきなのか。あるいは（仮に誰もがそれにかかわるべきだとしても）、なぜいまになってその話題が持ちあがっているというのだろうか——こういった問いを前にしたとき、それに答えを出すことは途方もなく困難で、いつまでも終わりがなく、神経をすり減らせる拷問じみたものになるはずだと、陰鬱な気分のなかに心が沈んでいくのを感じるのだとしたら、その感覚は正しい。じっさいわれわれはそれらの問いの答えを求めて、もう**数週間ものあいだ**[127]そんな拷問部屋のなかで過ごすことになっているのだから。

一つ目の問いにたいするものとして、きわめて単純で、広く受けいれられていながら、基本的に

は両立することのない次のような二つの答えがありうるが、しかしそれらはむしろ、問題を構成する重要な**部分**として考えられるべきものである。

問い――アメリカにおける人種問題とはなにか。
答え1――それは黒人の問題である。
答え2――それは白人の問題である。

この二つの答えのうち**一方の陣営**が**もう一方の陣営**の思考を支配していると考える者も含めるとするなら、二つの選択肢のいずれかを選ぶ人間の数はいっきに拡大し、おそらくはアメリカ人の大多数がそこに含まれることになるはずだ。それら二つの陣営のあいだでは、「もしわれわれが黒人の暴漢たちのもとから／白人の人種主義者たちのもとから、自分たちを取り除くことができたなら、問題は解決することになるはずだ」という命題と、「彼らはわれわれがみな暴漢だと／差別主義者だと考え、われわれを取り除いてしまいたいと考えている」という命題のいずれか一方、または両方によって、政治的な領域のかなりの部分が消費され、相補的な恐怖や嫌悪を生む揺るぎない

（126）https://www.amazon.com/Planet-Slums-Mike-Davis/dp/1844670228［デイヴィス『スラムの惑星』（酒井隆史監訳、明石書店、二〇一〇年）のアマゾンのページへのリンク。］
（127）［訳注］このパートが更新されたのは、ダービーシャーの解雇から二週間弱が経ったタイミングであり、したがってこの箇所を含む一文は、先立って「拷問」のようにそれについて考えることを強いられているのだといわれる問いの数々が、ダービーシャーの事件をきっかけにして生じてきたものであることを暗示している。

基盤が確立されている。さらにそこへ、防衛的な投影反応（「われわれは暴漢ではない、お前たちこそが人種主義者だ」あるいは「われわれは人種主義者ではない、お前たちこそが暴漢だ」）が加わってくることになれば、激しく白熱する落とし所のない議論は、原理的にほとんど無限につづいていきかねないものになる。

とはいえ（黒人や白人の部族的なナショナリストの幻想[128]のなかを除けば）、そうした二つの「陣営」は、じっさいの人種に関連したものではない。目下の状況のなかで共有されている大雑把なステレオタイプを理解しようとおもうなら、目につきやすい政治の次元へと目を向け、こんにちのアメリカにおける意味での「リベラル」と「保守」というカテゴリーへと目を向けた方がはるかに役に立つ。すなわち、アメリカにおける人種問題とは白人による人種主義だと見なすのが、ステレオタイプ的な**リベラル**の立場であり、それを黒人による社会機能の妨害だと見なすのが、リベラルと厳密に対をなすところの**保守**の立場なのだといえる。それぞれの立ち位置は形式的には対称的なものだが、しかしアメリカの人種問題に並外れた歴史的なダイナミズムと普遍的な意味を与えているのは、両者のあいだにある実際上の政治的な**非対称性**である。

非対称的な構造のなかで圧勝するリベラルとその宗教的恍惚《エクスタシー》

アメリカの黒人と白人が、――統計学的な集合として大まかに考えた場合――おたがいに恐怖しあい、相手の側から被るかもしれない被害を予想しあう関係のなかで共存しているということは、都市の発展やその構造、学校の選択、銃の所有、警察の機能状況や犯罪率など、任意の社会的配分や治安に関係する、（**明確に表明されたもの**ではなく）**結果としてあきらかになる**選択のほとんどすべての表現のなかに、はっきりとしたパターンが確認できることによって証明されている。補いあいつつ相容れることのない被害者至上主義と被害の否認という態度によって、おたがいにたいする恐怖は、可視的な領域から消しさられつつ客観的な均衡を保ちつづけている。だがその一方で、**人種にかんするリベラルと保守の立場**のあいだには均衡などまったく存在せず、ほとんど保守にとって壊滅的な敗北といえるような状況だけが見られる。保守は完全にこの問題を恐れているが、リベラルにとってそれは地上の楽園のようなものであり、彼らがこの問題のなかで感じている愉悦は、およそ人間の理解の限界を超えたものである。政治的な議論の焦点が明確に人種の話題に定まると、かならずリベラリズムが勝利を収めることになる。このことは、〈大聖堂《カテドラル》〉の脅威にさらされるなかでの〈大聖堂《カテドラル》〉に見守られた香気溢れる日陰の園のなかでの、イデオロギーの効果にかんする基本的な法則なのである。なんらかの事態を考えようとするさい、そういったあからさまな政治的不均衡がなによりもまず先に目につく場合さえある（そしてこの場合、それについて考えていけばいくほど、そうした事実はさらに深刻なものになっていく）。

　とはいえ、人種の話題になると保守主義がかならず魂を破壊する拷問のような屈辱を受けることになるとしても、それで誰も驚いたりはしない。現代の政治において保守が果たす主な役割とはようするに、辱めを受けることなのである。永遠の忠実な反対者であり、宮廷の道化である保守の役割とは、そうしたものなのだ。一方でリベラリズムは、新たなピューリタニズムの宗教的真理を支

（128）http://unqualified-reservations.blogspot.com/2007/11/why-i-am-not-white-nationalist.html［モールドバグの記事「なぜ私はホワイト・ナショナリストではないのか」へのリンク。］

持し、それを守る者であるというその本質的な性格ゆえに、弁証法にたいする並ぶもののない支配権を与えられ、あるいは反論にたいする絶対的な耐性を与えられている。結果として、**たとえ考えられないようなことがあったとしても、それを信仰することによって受けいれなくてはならない**ことになる。この点についてはたとえば、リベラル派の信条の基礎教義であり、その最初の項目である次のような命題を考えてみるだけで十分だろう。人種にまつわる公共の場での議論や、アカデミックな発言や、法的な決定をとおして広められているその命題とはすなわち、**ある人種が別の人種を搾取し、抑圧するために用いる社会的構築物として以外には、人種など存在しない**というものだ。この命題を受けいれることはそのまま、絶対的なものがもつ凄まじい権威を前にしてその身を痙攣させることを意味する。こうしてありとあらゆるものが同時にまったく正反対なものを意味するような事態が生まれていき、理性は崇高にいたる直前で恍惚《エクスタシー》とともに蒸発することになる。

イデオロギー上の対立の外へと向かう「白人たちの逃避《ホワイト・フライト》」

もしも世界がイデオロギーからできているのだとすれば、この話はもうこれで終わりか、すくなくともあらかじめ先の予想できるものになる。弁証法が見かけのうえで示す蛇行を離れて見ればわかるとおり、そこには支配的な一つの動向が存在し、そしてそれは疑いなく単一の方向へと向かっているからだ。だが――制限なく拡大する包括的な体系性をもつとともに、あからさまに逆説的なものでもある「反人種主義」という名の――人種問題にたいするリベラルで進歩主義的な解決はいま、保守の態度やレトリックやイデオロギーを介して見たのではほとんどその影響に気づくことのできない真の障害に直面している。議論を超えたところで、にわかには知覚できないほどにゆっくりと、だが確実にいまも進行中であるその真の敵こそ、「白人たちの逃避《ホワイト・フライト》」という現象である。

まさにこうした点においてこそ、ダービーシャーの件を参照することは避けがたいものになる。もちろんこの件にかんしては、――トレイヴォン・マーティンの事件にともなう文化的な痙攣をその筆頭として――複雑で、あらためて紹介が必要な、近年の別の歴史的な文脈が膨大な量で存在しているが、またあとでそうしたことに触れる機会もあるだろう（そう、お察しのとおり私は、いまこの状況でそれについて触れるのが怖いのだ）。いずれにせよダービーシャーの介入とそれが生みだした無数の言葉の爆発は、いくらかは影響を受けているとはいえ、はるかにそうした文脈を超えたものである。というのも、ダービーシャーによるいまや悪名高いその短い記事と、(129)――表面的に見るかぎり――それによって生みだされた反応の両方のなかで、はっきりと言葉にはされないままに決定的に重要な言葉になっているものこそが、「白人たちの逃避《ホワイト・フライト》」に他ならないからだ。（ユーラシアンである）自らの息子にたいする父親としての助言――騒動の渦中では、まったく的外れとはいえないかたちで「黒人は避けるべし」という言葉によって要約されてきた助言――を公にすることによってダービーシャーは、白人たちの逃避《ホワイト・フライト》という現象がもつ意味を変化させることになった。(130) つまり彼はそれを、きわめて嘆かわしいことだが見たところどうすることもできないらしい事実という次元から、従わざるをえないはっきりとした原則という次元へと変化させ、一つの**大義**とさえいえるものへと変化させることになったのだ。すなわち、**議論するな、逃げろ**というわけである。

だが自身の発言にたいするコメントの端々や、それ以前の文章のなかでダービーシャー本人が強調しているのは、「逃避《フライト》」や「パニック」ではなく、**絶望**という言葉である。たとえば、「人種というカード」を切ることにたいする脅えはこの二〇年間で減少したのではないか、というブロガーのヴォックス・デイ［Vox Day：ブロガー、ゲーム・デザイナー、極右活動家であるセオドア・ビール（Theodore Beale）の筆名］からの問いにたいして、ダービーシャーは次のように答えている。[131]

私自身何度か書いてきたことですが、合衆国におけるその一つ（の要因）としては、ようするに絶望が挙げられるとおもいます。いまでは私ももうそれなりの年齢で、五〇年も前のことになりますが、新聞を読んで世界の出来事を知ろうとしていたなかで、公民権運動のことを知ったときのことはいまもはっきり覚えています。当時はイギリスで暮らしていたわけですが、誰もがその運動の動向を知っていました。私は公民権運動のことも、それがどんなふうに感じられていたかも、そしてそれについてなにが書かれていたのかも覚えています。希望に満ち溢れていました。不公平な法の数々が取りのぞかれ、あらゆる差別が追放されたなら、私たちは一つになれるはずだと、誰もが心のなかでそう考えていた。そうなればアメリカは一つになれるはずなのだと。何年かの年月を、たとえば、二〇年ほどの年月をあいだにおいたなら、積極的是正措置《アファーマティヴ・アクション》[132]のようなものも手伝って、アメリカの黒人運動は一般の住民たちのなかにも浸透していき、いっさいの問題はすべて解消されることになるだろうと、そんなふうに誰もが信じていた、誰もがそう考えていた。そして、そんなことは起こらなかったのです。

私たちはあれから五〇年後の世界に生きていますが、犯罪率や学歴などのなかには、いまだに途方もない格差が存在しています。だから私は、あいかわらず美辞麗句を並べつづけているにもかかわらず、アメリカ人たちは心のなかで、この問題にかんして一種の冷たい絶望を感じているのだとおもうのです。彼らは、トマス・ジェファーソンはおそらく正しかったのだと、[133]自分たちは調和のなかで暮らしていくことはできないのだと感じている。緩慢な民族間の分裂が見られるのは、そういうわけなのだとおもいます。私たちの学校制度は、ひじょうに差別的なものです。私がいま座っているところから一〇マイルも離れていないところには、生徒の九八％がマイノリティの学校が複数存在しています。住環境についても同じことがいえる。だからこそ私は、あらゆる問題にかかわるアメリカの集合的な感情のなかには、冷たく暗い絶望が潜んでいるのだと考

---

(129) https://www.takimag.com/article/the_talk_nonblack_version_john_derbyshire/ ［『ナショナル・レヴュー』解雇の原因となったダービーシャーによる記事「例の話《ザ・トーク》――非黒人版」へのリンク。本来ならここでその内容を紹介しておくべきだが、この記事の詳細が本格的に取りあげられるのは次パート以降であり、訳注での補足もそれに準ずることとする。ここでは、さしあたりの読解とかかわるかぎりで、次の四点を念頭に置かれたい。前提としてそれは、トレイヴォン・マーティンの射殺事件以後の状況を受けて書かれた記事であること、そしてその内容が「白人たちの逃避《ホワイト・フライト》」の問題にかかわるものであること、またそれが自らの子供たちにたいする助言を再現するという形式を取って書かれたものであること、さらにその助言は、統計学にもとづいた「遺伝主義的な決定論」にもとづくものであること。より詳しい記事の概要については、PART 4b の訳注（167）を参照。］

(130) ［訳注］ヨーロッパ人とアジア人の混血を指す。イギリス人であるダービーシャーの妻はアメリカに帰化した中国人である。

(131) http://voxday.blogspot.com/2012/04/derbyshire.html ［ヴォックス・デイのサイトに掲載された「ジョン・ダービーシャーへのインタヴュー」へのリンク。］

(132) ［訳注］歴史的・社会的に見て差別的な状況を余儀なくされている集団にたいし、就学や雇用のさいなどに優遇措置を施し、差別や格差の是正を図る行政上の施策。

(133) ［訳注］奴隷制の廃止を唱えたジェファーソンは一方で、その著書『ヴァージニア覚え書』のなかで、白人と黒人の知性の違いを指摘している。

えているわけです。

ダービーシャーの記事にたいする保守からの反応

以上のような現実の把握は、ほぼ誰も聞きたいとはおもわないようなものである。ダービーシャーが認めているとおり、アメリカ人たちはその多くがキリスト教徒であり、楽天主義者で、なにごとにつけても「やればできる《キャン・ドゥ》」と考えている人々である。つまり彼らは、その「集合的な感情」のレヴェルで**希望を放棄すること**にまったく適していない者たちなのだ。アメリカという国は、絶望をたんに間違いや弱さとして解釈するのではなく、罪として解釈するようにあらかじめ文化的に組みこまれている国なのである。こうしたことを理解している人間であれば、「ダービーシャーの記事に見られる」冷淡な遺伝主義的決定論が、進歩主義者たちからだけではなく保守の圧倒的大多数からも、――もっぱら怒りに燃えた敵意とともに――退けられているのを見ても、なんら驚くことはないはずだ。だが『ナショナル・レヴュー』のオンライン版においてアンドリュー・C・マッカーシーはどうやら、次のように述べることで多数派の保守たちに味方したようである。

しかし、知能指数や犯罪率をめぐる厄介な事実について議論できるようにする必要性と、基本的なキリスト教的博愛[134]を放棄する論理的な根拠として人種を持ちだす必要性は、それぞれにまったく異なるものである。

保守たちのなかには、以上に読まれるようなマッカーシーの立場をさらに徹底した者たちもいた。たとえば、［独立系ニュース・サイト］『エグザミナー』においてジェームス・ギブソン［James Gibson：アメリカの牧師、ブロガー］は、「ジョン・ダービーシャーの汚らわしい人種主義的な文章」を、より広い教訓――つまり「キリスト教から切り離された保守の危険性」という教訓――を広めるための機会だと考えた(135)。

（……）ダービーシャーは、「ナザレのイエスは神聖であり（……）復活は本当の出来事なのだ」と信じておらず、だからこそ受肉という大いなる神秘を理解することができずにいる。それによって神は、本当にナザレのイエスという人物の肉体を手にし、人間をその堕落した状態から救うために、当の堕落した人間の手によって死刑にされたのだ。

この件のなかに見いだされるのは、確固としたキリスト教の信仰から切り離された保守の社会政治哲学がもつ危険性だといえる。ひとたび信仰から切り離されてしまうことになるとそうした

(134)［訳注］マッカーシーの記事「違うんだ、マーク……」からの引用。本パート冒頭に引かれている記事でダービーシャーを擁護しているのではないかという『ナショナル・レヴュー』誌同人のマーク・ステイン（Mark Steyn）からの批判を受け、自身の立場を明確化し、あらためてはっきりとダービーシャーと距離を取るために書かれたもの。次のＵＲＬを参照。https://www.nationalreview.com/corner/no-mark-andrew-c-mccarthy/

(135) http://www.examiner.com/faith-culture-in-columbia/john-derbyshire-and-the-danger-of-conservatism-divorced-from-christianity［『エグザミナー』に掲載されたギブソンによる記事「ジョン・ダービーシャーとキリスト教から切り離された保守の危険性」へのリンク。なお、すでに記事は削除されているため、ウェイバックマシンを介さないと『エグザミナー』を買収した大手チケット販売会社ＡＸＳのトップ・ページに自動転送される。］

哲学は、人に悪影響を及ぼし諦念を広めるような人間観を生みだし、そしてなによりも、（ダービーシャーが十分すぎるほど証明しているように）なんの慈悲もないような人間観を生みだす死んだイデオロギーと化してしまうことになるのだ。

ダービーシャーの記事にたいするリベラルからの反応

だがいうまでもなく、激しい感情の爆発に本当の意味で火がついたのは、左派の側からだった。エルスペット・リーヴ［Elspeth Reeve：ライター］は、『アトランティック・ワイアー』において、ダービーシャーは『ナショナル・レヴュー』の「あまり啓蒙されていない読者」にたいして、彼らが望むものを、つまり「時代遅れの人種にかんするステレオタイプ」を提供しつづけたいからこそ、その雑誌との関係に執着しているのだと強く主張した[136]。右派のギブソンと同様、彼女は人々がより広い教訓を学ぶことを熱望していた。つまり、この件がダービーシャーだけで終わることになるとおもったら大間違いだというわけである（彼女のこの記事のコメント欄に寄せられた驚くほど非協力的なコメントの数々は注目しておくに値する）。

だが『ゴーカー』においてルイス・ペイツマン［Louis Peitzman：ライター、オンライン・メディア『バズフィード・ニュース』編集者］は、ダービーシャーの「ぞっとするような罵詈雑言」を、「可能なかぎり最悪の人種主義的文章」、歴史についての極端な教養のなさをさらけだす判断、稀に見る無知、想像力の欠如等々と表現し、その記事を実際よりもはるかに興味深いものに変えることによって、けっきょくのところ事態を、（分かりやすい方向へ導くことで）凡庸なものに変えてしまった[137]。ペイツマンの記事にたいするコメントはみな、一分の隙もないほどにリベラルで、必然的にどれも代わり映えせず、（ほとんどオーガズムに達するほど）完全に取り乱して我を忘れているものばかりである。話を誇張しているという以外ペイツマンの記事はなにも新しいことを述べてはおらず、『ナショナル・レヴュー』から「クビになる」ことで、ともかくダービーシャーの罰がはじまった（彼の言葉でいいかえれば「正しい方向への歩み」がはじまった）という情報によって、――残った怒りと混ざりあった軽い満足感とともに――さらなる若干の誇張がなされるだけで終わっている。

一方で、（「グッド・フィード・ブログ」と題された場所で書いている）[138] ジョアンナ・シュローダー［Joanna Schroeder：ライター、メディア批評家］は、ダービーシャーを超えて追放《パージ》の手を伸ばし、まだ十分にメロドラマ的な憤りの発作に見舞われているとはいえない人物たちをそのターゲットに定めていった。手はじめとして選ばれているのは、（彼女が「じっさいにはどんな人物かは知らないが、

(136) http://www.theatlanticwire.com/politics/2012/04/why-john-derbyshire-hasnt-been-fired-yet/50803/ ［ダービーシャーの記事から一日後（つまり解雇の一日前）の二〇一二年四月六日付で、ウェブ・メディア『アトランティック・ワイアー』に公開されたリーヴの記事「なぜジョン・ダービーシャーは（いまだ）解雇されていないのか」へのリンク。現在は姉妹サイト『アトランティック』に移動された同記事に飛ぶ。］

(137) https://gawker.com/5900109/racist-john-derbyshire-fired-for-writing-most-racist-article-possible ［ゴシップ系ニュース・サイト『ゴーカー』に掲載されたペイツマンの記事「ジョン・ダービーシャー、可能なかぎり最悪の人種主義的文章を書いたことで解雇される」へのリンク。］

(138) https://goodmenproject.com/good-feed-blog/racist-writings-should-derbyshire-and-weigel-be-fired/ ［ウェブ・メディア『グッドメン・プロジェクト』内のコラム「グッド・フィード・ブログ」に掲載された、シュローダーの記事「人種主義者たちの記事――ダービーシャーとヴァイゲルは解雇されるべきか」へのリンク。］

記事を読むかぎり人種主義者であるはずだ」という）『スレート』誌のデヴィッド・ヴァイゲル[139]［David Weigel：ジャーナリスト、編集者］である。その記事のなかで彼女は、「ダービーシャーの記事のなかには（……）黒人にたいする人種主義的で非人間的な言及があまりにも多いため、沸きたつ怒りとともにその一々をすべて数えあげてしまう前に、このあたりで自制しておかなくてはならない」と打ちあけている。だがペイツマンとは違い、すくなくともシュローダーの文章には見るべきところがある――すなわちそこには、次のようなかたちで人種にかんする恐怖の弁証法の存在が示されているのだ。「（……）黒人の男たち、ないし黒人一般を恐れるべきだという考え方を広めることによってこの世界は、無垢なアメリカ人たちにとって危険なものに変わる」。ようするに、（道理にかなった相互性などそこにはあきらかに存在しないにもかかわらず）**自らの感じる恐怖心こそが、自分自身を怯えさせている**のだというわけである。

じっさいヴァイゲルは、はっきりと恐怖を深めることになる。彼は数時間ののちにキーボードの前に戻り[140]、直前の文章の配慮のなさについて、つまり「あのダービーシャーの文章は酷いものだと、はっきりといわないまま終わってしまった」ことについて謝罪しているのだ。

ダービーシャーの事件を媒介にした現状の調査

ではじっさいのところダービーシャーはなにをいったのか、その言葉はどこからきて、アメリカの政治にとって（あるいはそれを超えて）いったいなにを意味するものだったのか。これ以降の投稿では、現状を理解するためのヒントを求め、社会地理学的に表現された「白人《ホワイト》たちの」パニックや絶望を導きの糸として、左派から右派にいたる領域をくまなく調査していく……。

次回予告——リベラル派の恍惚《エクスタシー》。

（139）https://slate.com/news-and-politics/2012/04/john-derbyshire-s-advice-for-white-people.html［オンライン誌『スレート』に掲載されたヴァイゲルの記事「ジョン・ダービーシャーの白人への助言」へのリンク。ダービーシャーの記事が公開されてから二四時間と経っていないタイミングで公開された（つまりダービーシャーにたいする批判があからさまに表面化してくる以前に書かれた）この文章のなかでヴァイゲルは、「ダービーシャーは、誰もがそうおもっていながら、言葉を発する能力があってもほとんどの人がどういったらいいのか分からないでいること」を述べたまでだといい、彼を擁護するような書き方をしている。］

（140）https://slate.com/news-and-politics/2012/04/derbyshire-again.html［前回の記事から一日後に『スレート』誌に掲載されたヴァイゲルの記事「ふたたび、ダービーシャーについて」へのリンク。先の記事にたいして寄せられた批判に応えるかたちで、ヴァイゲルはここであらためてダービーシャーの文章を取りあげ、もっぱらその実証性のなさを論拠としてそれを批判している。］

PART 4b

厄介な者たちの発言

民主主義の根幹をなす弁証法的な議論とはなにか。それは〈大聖堂《カテドラル》〉が自らのメッセージを広める手段にすぎないものだとランドはいう。弁証法は科学的な妥当性とは無関係なものであり、その時々の権力関係にもとづいて議論をあらかじめ予測される地点へと収斂させていく装置だというわけである。

じっさいダービーシャーの記事の前提にあるトレイヴォン事件においては、調査が進んでいくにつれ、罪のない黒人を射殺した差別的な白人という〈大聖堂《カテドラル》〉のメッセージが綻びをみせていったにもかかわらず、あきらかになった新たな事実は無視され、当初のメッセージはそのまま強調されて、ひいてはその根幹にある人間の平等という発想が強化されていったのだった。

以上を踏まえランドは、ダービーシャーの記事をそうした状況にたいする対抗《カウンター》として位置づける。結果として、その記事を取りまく状況から浮かびあがってくることになるのは、人間の実質的な平等を認めない「厄介な」人間たちの存在であり、〈大聖堂《カテドラル》〉の掲げる諸価値から疎外された彼らが支持していく、人間の生物学的多様性説のもつ意味である。

若者の安全を心配しているのは黒人の少年たちを子供にもつ親や家族だけではない。だがティルマンやブラウンにかぎらず、黒人の子供をもつ親たちはみな、自分たちにとって恐怖の対象であり敵対的なものである社会と、しかも肌の色だけを理由にしてそうした恐怖や敵意を感じざるをえない社会と関係することになる以上、黒人の子供を育てることは一般的な子育てに比べてはるかにストレスを感じるものになるはずだと答えている。

「分かってはもらえないでしょうね。ですが私の立場になってもみてください」とブラウンはいう。

子供が人種的な偏見にもとづく類型化によって危険にさらされるのではないかとつねに心配していた彼からすれば、一四歳という息子の年齢はもう十分に危険なのだという。

「息子を怖がらせたいわけではないし、彼に他人を色眼鏡で見てほしいわけでもない、ですが歴史的に見ると私たち黒人の男というのは、つねに犯罪が身近にある者という烙印を押されつづけてきたわけで、じっさいのところどうかとは関係なくいつだって疑われてしまうものなんです」。

またブラウンだけではなく他の親たちも、こうした事実をはっきりさせない親は自分たちの子供を危険にさらしてしまっているのだと述べている。

(141)［訳注］二〇一二年五月三日更新。

「アフリカ系アメリカ人の親でこういった会話をしていないとしたら、それは無責任というものです」とブラウンはいう。「今回の件［トレイヴォン事件］は私たちにとって、人種間の関係について包み隠さず率直に《フランクリー》、正直に話すための機会なんだとおもっていますﾞ」。

——グレイシー・ボンズ・ステイプルズ［Gracie Bonds Staples：ライター］（『スター・テレグラム』(142)）

たとえばあるコミュニティの住人たちが、セクション8の住宅証票《ハウジング・ヴァウチャー》制度(143)を利用する層がインナー・シティから流入してくることに抵抗を示すとしたら、そういった彼らの反応は無理もないものだといえる。目下肌の色にもとづいて示されている反応は、そうした反応と同種のものなのである。もしインナー・シティの黒人たちが——可能なかぎり多くの知識をその子供たちの頭に詰めこんで——アジア人のように振るまうことになれば、所得の低い黒人たちにたいして多くのアメリカ人が疑いなく抱いている根深い警戒心が消えさることもあるだろう。しかしアメリカ人のなかに救いがたい差別主義者は存在しているのかと問われたなら、間違いなく存在すると答えざるをえないのが現状だ。そうした者たちはさまざまな肌の色からなっており、われわれはそのすべてを批判していくべきである。だが合衆国における人種の問題は、洗練された集団が一般に表明するのを許可するような水準よりも複雑なものなのだ。

——ヘザー・マクドナルド［Heather Mac Donald：ジャーナリスト］（『シティ・ジャーナル』[144]）

「触れちゃいけない話題について話しましょうか。私は黒人です、いいですか」、それまでは反発を予想して自分の人種が特定されるのを避けていた彼女は、そんなふうに話しだした。そしてすこし屈みこんで記者の目を直接覗きこみながら、「こ

（142）［訳注］ステイプルズの記事「トレイヴォン・マーティン事件以来、黒人の親たちは恐怖のなかで暮らしている」からの引用。ステイプルズはここで、マーティンに近い一〇代の息子をもつ黒人の親たちを対象にしてインタヴューをおこない、人種差別を理由として、トレイヴォン事件以来あらためて、いかに彼らが息子たちの身を案じているのかを紹介している。その冒頭は次のとおり。「マリリン・ティルマンが例の話《ザ・トーク》をするべきときだと感じたのは、彼女の息子たちが一二歳と八歳になったころのことだった。／彼女は息子たちにたいして、水鉄砲を買うことは、息子たちの白人の友人にとってはこれ以上ないほどふさわしいことだが、彼らにとってはそうではないこと、若いアフリカ系アメリカ人にとっては、水鉄砲をもっていることでさえ分かりやすい警察の標的になることにつながってしまうことを伝えた」。先のパートからランドが取りあげているダービーシャーの記事「例の話《ザ・トーク》——非黒人版」は、ステイプルズのこの記事にたいする応答として書かれたものとなっている。なお、ランドがここでこの記事の典拠として挙げているらしい『スター・テレグラム』は過去のステイプルズの所属先であり誤り。この時点で彼女は、アトランタの日刊紙『アトランタ・ジャーナル・コンスティテューション』に移籍しており、この記事も同紙に発表されたものである。以下のＵＲＬを参照。https://www.ajc.com/lifestyles/black-parents-live-fear-after-trayvon-martin-case/wsKmAVcDM7whDsN9t25gaP/

（143）［訳注］総所得が居住する地区の平均の五〇パーセント以下である世帯を対象におこなわれる家賃補助制度。名称は該当する条文が住宅法の八番目の項に記載されていることに由来。

の近所には、過去に黒人の少年たちに強盗に入られた家が何軒もあります」といった。「だからジョージ［・ジーマーマン］は、トレイヴォン・マーティンを疑ったんです」。

――クリス・フランチェスカーニ［Chris Francescani：ジャーナリスト］（ロイター）[145]

弁証法のもつ政治的な操作性

「つまり弁証法とは、対立物の合一についての教義だと定義することができる。それこそが弁証法の本質を例示するものである」とレーニンは述べ、そしてつづけて、次のように述べている。[146]「だがこのことは、さまざまな説明や展開を要求する」。いいかえよう。ようするにそれは、さらなる議論を要求するのだ。

マルクス主義からレーニン主義への昇華（いいかえれば止揚《アウフヘーベン》）に必然性はなく、両者を厳密に区別する必要はない。幅広い分野に適用することができる一方で、まっとうな物質的条件や、あらかじめ予測できる複雑な社会的矛盾からほぼ完全に切り離されたものである、革命的で共産主義的な政治なるものを捏造することによって、レーニンは次の事実を証明した。すなわち、弁証法のもつ力は全面的に、いかにその力を政治化できるかにかかっているのである（したがって「自然の弁証法」云々と口にされるのだとしても、ようするにそれは、後になってから科学的なモデルを政治的なモデルに従属させたものでしかないことになる）。たとえ弁証法がもっともらしく見えるとしてもそれは、そもそも弁証法がもっともらしさを作りだすものとして生みだされているからにすぎない。

弁証法は政治的な動揺とともに開始されるものだが、しかしそれが、実践へと向かい、反目を生みだし、しかるべく機能して、最後には融合を生みだすというその「論理」を超えた先まで展開していくことはない。弁証法とは**それ自体として**「上部構造」(147)なのであり、自然な制約に抗するものなのだ。社会を支配するための基盤《プラットフォーム》としての弁証法は、可能なかぎり広い範囲に手を伸ばし拡張されていくなかで、政治的な領域を実践的に占有していく。議論が存在している場所というのはそのまま、これからその場所を支配するための機会が存在している場所を意味することになるわけだ。

（144）［訳注］公共政策の専門誌『シティ・ジャーナル』に掲載された記事「臆病者の国家？」からの引用。保守派のマクドナルドはここで、「臆病者の国家」に堕さないために、人種問題についてより「率直なやりとり《フランク・カンバセーション》」をおこなうべきだとする（この記事の当時のオバマ政権時代における）司法長官エリック・ハンプトン・ホルダー（Eric Himpton Holder）の発言を取りあげ、それにたいする反論として、白人たちの不正を一方的に告発するばかりのリベラルな議論はもう十分すぎるほど存在しているのだとし、人種問題をめぐって真に「率直《フランク》」に話すというなら、投票行動における偏向や犯罪率の高さ、就業率や収入の低さなど、黒人の側に固有の問題こそ取りあげるべきだと主張している。ここに引用されているのはその結論に当たる箇所。以下のＵＲＬを参照。https://www.city-journal.org/html/nation-cowards-10538.html

（145）［訳注］ジーマーマンの生い立ちや事件のあったサンフォードの環境などをたどり、トレイヴォン事件発生の背景に迫る「ジョージ・ジーマーマン──発砲にいたる経緯」と題された記事で、引用されているのは、サンフォード在住の女性にたいするインタヴューの部分。以下のＵＲＬを参照。https://www.reuters.com/article/us-usa-florida-shooting-zimmerman/george-zimmerman-prelude-to-a-shooting-idUSBRE83O18H20120425

〈大聖堂《カテドラル》〉は弁証法的な議論以外を認めることがない

〈大聖堂《カテドラル》〉とは、弁証法にかんする以上のような教訓を具現化したものである。とはいえそれは、レーニン主義や、操作的な共産主義的弁証法をあえて擁護する必要性をもたない。というのも〈大聖堂《カテドラル》〉はそもそも、弁証法的な議論以外のものを承認することがないからだ。分かりやすい対抗関係の創出、構造の二極化、そして立場の逆転といったプロセスをつうじておこなわれる弁証法的再構成を逃れるような社会的「上部構造」は、たとえその断片であっても、そこにはほぼ存在していない。アカデミーやメディアの内部、さらには美術の分野の内部にさえ政治的なものの過飽和状態が蔓延し、どんなに些細な見解の一端でさえ、論争を生む「社会批判」や平等主義的な目的をもったものだと見なされることになる。共産主義とは、ありとあらゆるものを巻きこんでいくもの《ユニヴァーサル・インプリケーション》［＝普遍主義的な連累作用］なのである。

弁証法的な議論の高まりは政治の高まりであり、そして政治の高まりはそのまま「進歩」を――いいかえれば社会が左に移行していくことを意味する。公的な意見の一致は事態をただ一つの方向へと導いていくものだが、そうした運動性はすでに、公的な意見の不一致のなかにあらかじめ存在しているわけである。「経済」という（あるいはより広い意味では市民社会という）「右翼」たちの避難所は、意見の一致が見られず、**そして同時に**、公的に表明された意見の不一致が見られないところにのみ見いだされる。いいかえればそれは、そもそも弁証法や議論が見られない場所や、政治以前の多様性の内部や、あるいは政治的な調整を施されていない行動のなかにしか見いだされないものなのだ。

だが意見の一致が必要とされていなかったり、強制的に要求されていないような状況であれば、否定的な（あるいは「リバタリアン的な」）自由はいまだ可能であり、そして議論を生むことのないそうした弁証法の「他者」は、次のようなかたちで容易に定式化される（とはいえこれは、自由な社会のなかであればあえて定式化するまでもないものだが）。その定式とはすなわち、**自分の好きにやれ**《ドゥ・ユア・オウン・シング》というものだ。こうした無責任で投げやりな命令が**政治的に**許容できないものであることはいうまでもない。こうした命令は左派勢力の低下《デプレッション》や後退、あるいはその脱政治化と厳密に対応している。左派ほどに**反論されること**を執拗に求める者たちもいないのだから。

以上のような定式の対極には、演劇的な正義が生みだす弁証法的恍惚《エクスタシー》があり、そしてそのなかでは、遵法的な手続きからなる議論の構造がメディアをとおしたその周知と一体化するかたちで存在している。弁証法が生む熱狂のもっとも分かりやすい表現はたとえば、法廷ドラマのなかに見いだされる。そのなかでは、弁護士やジャーナリストや地域の活動家たちだけでなく、その他さまざまな革命的上部構造の担い手たちが、公開裁判がおこなわれるなかでたがいに手を取りあうことになる。そして社会の矛盾が舞台に上げられ、論争を生む事件が解きほぐされて、当然のようにその

(146) https://www.marxists.org/archive/lenin/works/1914/cons-logic/summary.htm［『マルクス主義アーカイヴ』内のレーニン「弁証法の概要」英訳へのリンク。］

(147)［訳注］マルクス主義の用語。所有や分配や階級など、一つの社会の基礎となる物質的な生産関係の総体を意味する下部構造と対になる概念で、下部構造に規定されるかたちで生みだされる政治的・法的な諸制度や、道徳や芸術や宗教などの社会意識の諸形態を指す。きわめて抽象的で論争的な概念だが、この文脈ではとくに、客観的な科学的法則の影響下にある下部構造とは異なり、上部構造はイデオロギーに左右される領域であるというマルクス自身の整理が重要。

解決が期待されていく。そこに存在しているのは、プライム・タイムのTV番組のための（あるいは現在ではインターネットのための）ヘーゲルである。そんなふうにして〈大聖堂《カテドラル》〉は、そのメッセージを人々に広めていくわけである。

トレイヴォン事件を利用した〈大聖堂《カテドラル》〉のメッセージとその破綻

だが進歩にたいする情熱がはやるばかりに、そうしたメッセージはときとして、それ自体のうえでつまずき、転倒することになる。というのも、〈大聖堂《カテドラル》〉の担い手は果てしなく《インフィニットリー》合理的だが、それに劣らず分別に欠けているものであり、多くの場合驚くほどに無能で、間違いを犯しがちなものだからだ。こうした特徴には神学的な根拠があると考えられる。国家が神になってしまうと、聖なる愚者[148]というモデルにもとづいて国家は、あからさまに愚かなふるまいをしだすまでに退化してしまうことになるのだ。トレイヴォン・マーティン事件をめぐるスペクタクルに見られるメディア上の政治は、こうした事態の分かりやすい例を示している。

他の大国と同じように合衆国では、毎日多くのことが起き、さまざまに曖昧なものからなる無数の出来事のかたちが示されている。たとえば[149]一日のうちには、平均して四〇件の殺人、二三〇件の強姦、一〇〇〇件の強盗事件をそのなかに含む、おおよそ三四〇〇件の凶悪犯罪が起き、加えて二一〇〇件の量刑の重い暴行事件と、二万五〇〇〇件の暴力をともなわない財産にたいする犯罪（空き巣や盗難）が起きている。そうしたなかで広く報じられ、教育的で模範的で代表的なものとして注目を集めるような事件は、ほんの一握りしか存在しない。単純に事件の膨大な量がこうした事態を招いているとは考えにくい以上、メディアが物語ありきでとくに「よくできた話」を選別していると考えるのが自然だろう。したがって起きている状況を踏まえるかぎり、次のような問いが生じてくるのは避けがたいことだといえる。その問いとはつまり、**いったいなぜ、他のなにかではなくこれが報道されているのか**というものだ。

トレイヴォン・マーティンの死にまつわるほとんどすべてのことが論点となっているが、メディアの動機だけがその例外となっている。つまりそれを取りあげるべきだという判断にかんしては、ほとんどなんの異論も存在していないのだ。この事件のなかに見いだされた物語がもつ意味、あるいはそこで意図されていたメッセージは、これ以上ないほどに分かりやすいものだった。すなわちそれは、**白人の根拠のない人種主義的な猜疑心が、黒人たちにとってアメリカを危険なものにしている**というものである。こうしてこの事件は、（自らの感じている恐怖心こそが恐るべきものなのだという）人種にかんする恐怖の弁証法をあらためて繰りかえすことになった。相補的な社会的悪夢を一方的な道徳劇へと転化させることを――つねに変わらぬ――その目的とする弁証法によって、アメリカという国の主な人種的対立のうち、排他的に一方の陣営だけに恐怖の正当性が与えられていったわけである。一見してそのメッセージは完璧に見えた。悪意に満ちた白人の自警団が無垢な黒人の子供を射殺すること、そのことによって黒人の恐怖は（そして彼らの語る「例の話《ザ・トーク》」は）正当化され、一方で白人のパニックは、殺人にいたるような精神障害であることがあきらかにされたのだ

(148)［訳注］キリスト教における聖人の類型の一種。よりいっそう神意にかなうことを目的として、客観的には愚かに見えるまでにすすんで世俗的な慣習を軽視し、より極端な信仰の証明をおこなおうとする人物を指す。

(149) http://www.disastercenter.com/crime/uscrime.htm［災害や犯罪の統計をまとめたサイト『災害センター』内にある、合衆国における犯罪統計データを掲載したページへのリンク。］

から。そこにあったのは、そう何度も起きることがないような、一つの規範となる進歩的意味をもった物語だといえる。だがじっさいそれは、あまりにも出来すぎた話だった。

ほどなくして――著名人や地域の活動家という怒りを増幅する装置によって強化されていたにもかかわらず――メディアによって選別された当初の枠組みにもとづいていたのでは、このストーリーを台本どおりに進行していくことはできないことがあきらかになり、主役の両方がだんだんと与えられた役割から逸脱していくことになっていった。少しずつ世間に認められていくステレオタイプというものが事態の推移とは関係のないところで生きつづけるものだとしても、物語の積極的な編集[150]が要求されていく。ましてや、『マイアミ・ヘラルド』紙[151]の人種主義的で悪意ある偏った読者の幾人かが、「トレイヴォン・マーティン」と「空き巣の道具」という二つの言葉のあいだに当初の物語を瓦解させてしまうような内的な繋がりを作りだしはじめたとなれば、編集はなおのこと急務だった。

殺人者として、ジョージ・ジーマーマンという名前はすべてを物語るものだった。［その名前のもつ語感から］当初あきらかに彼は、大柄で青白い顔をしたナチスの突撃隊員のような人物になろうとしていた。あるいはより控えめにいったとしても、キリスト教徒のガン・マニアか、もしくは――もっとも的を射ているイメージとして――同性愛嫌悪《ホモフォビア》や反中絶運動のような物語をその背景にもった、民兵運動《ミリシア》[152]の参加者のような人物になろうとしていた。ジーマーマンはまず――メディアの無能さや物語の進行上の都合以外の明確な理由をもたないまま――「白人」から出発したが、その後いつの間にか、（いかにも慌てた挙句に急いで変更されたようなカテゴリーである）「ヒスパニック系の白人」へと変更され、そして現実に沿うかたちでだんだんと民族的な複雑さを増していったすえに、最後にはアフリカ系ペルー人の祖父が発見されるまでになっていった。

こうして、〈大聖堂《カテドラル》〉の中枢はおおいに頭を悩ませることになった。当初のメッセージが、黒人にたいする黒人の暴力という厄介でまったく的外れなものに変わりかねないほどに破綻しはじめていた時点で、凶悪なＫＫＫまがいの人物であるはずの被告人は公開裁判を目前に控え、大統領は神聖なる犠牲者を代弁し、感情をあらわにして厳しい叱責の言葉を発表し、そして一致団結した加害者狩りは、人種暴動の勃発寸前まで亢進していた。ジョージ・ジーマーマンは黒人の先祖をもっていただけでなく――ちなみにこの事実の時点で彼は、左派に特有の社会構築的な基準にもとづくかぎり完全に「黒人」であることになる――、同時にまた、「何年も家族同然に」つきあっていた黒人の少女たち二人を含め、友好的なかたちで黒人たちに囲まれて育ち、黒人の協力者たちとともに

(150) https://destructure.wordpress.com/2012/03/20/trayvon-martin-faq/［「社会正義にまつわる議論を解体する」ことを目的とした匿名の書き手によるブログ「デストラクチャー」内の記事「トレイヴォン・マーティンＦＡＱ」へのリンク。次々に新情報が加わっていく事件の報道を踏まえ、それがじっさいのところどのようなものだったのかをＱ＆Ａ形式でまとめることによって、当初の報道の偏向を暴露し、その修正を迫るような内容となっている。なおこのブログは、現在では閲覧が招待制となっている。］
(151) https://www.miamiherald.com/2012/03/26/v-fullstory/2714778/thousands-expected-at-trayvon.html［フロリダ州の日刊紙『マイアミ・ヘラルド』ウェブ版へのリンクだが、現在ではリンク切れ。ウェイバックマシン上を含め削除されており、確認することができなかった。］
(152)［訳注］アメリカにおける非合法武装組織による政治運動の総称。一般にその参加者は、陰謀論的な政治解釈にもとづき、政府の弾圧に抗する伝統的な自由の擁護者を自任する場合が多く、反ユダヤ主義やネオ・ナチのイデオロギーと連携する傾向にある。

事業をはじめてさえいた。そしてまた彼は、登録を済ませた民主党員であり、さらにはある種の「共同体の組織者」といえるような人物でもあったのだった……。

混迷する事態のなかで――オルタナ右翼たちの判断

けっきょくのところ、いったいなぜマーティンは殺されることになったのだろうか。黒人であるにもかかわらずアイス・ティーとスキットルズ［キャンディ菓子］の袋をもって歩いていたからだろうか（メディアや地域の活動家たちが採用した、「オバマにいたかもしれない息子[153]」説）。あるいは、空き巣の標的を探していたからだろうか（KKKによる人種的な類型化にもとづく説）。それとも、ジーマーマンの鼻を砕き、彼を殴りたおして馬乗りになり、その頭を何度も路肩に打ちつけたからだろうか（いずれ裁判所であきらかにされる説）。彼は人種にかんする不正の殉教者だったのか、あるいは下層社会の略奪者だったのか、それとも危機に瀕しているアメリカの都市の徴候となる人間だったのか。だが出来事がもつ悲惨さをのぞけば、司法の手続きが開始されたときに唯一完全にはっきりしていたのは、なに一つとして確かなことはいえないということだけだった。

ジーマーマンが第二級殺人罪[154]で起訴された時点で、あらかじめ知れわたっていた教訓がどれほど崩れさり、どれほど人を混乱させていたかについて知ろうとおもうなら、右派の人種兵士《レイス・ソルジャー》[155]たちの弁証法的な混乱について述べている、HBD支持者のブロガー、oneSTDVによる以下の投稿を読めば十分である。

ジーマーマンにたいする「起訴」がもつ不穏な性格にもかかわらず、オルタナ右翼[156]の多くは彼にたいして同情を示すことを拒絶し、同時にまたこの件を、現代の左派による無政府主義的専制体制のなかで生じた、一つの画期をなす出来事と見なすことさえも拒絶した。こうした連中によればこの件は、**スペイン語話者で登録を済ませた民主党員である混血の人間が、当然の報いを受けた**にすぎないことになり——黒人の暴徒とエリート層の怒りは、他でもなくジーマーマン自身によって間接的なかたちで支持されたままに終わってしまったことになる。彼の投票記録やその多文化主義的な背景、そしてマイノリティの若者にたいして彼がもっていた影響力を理由として、オルタナ右翼たちはジーマーマンを、左派による白人のアメリカにたいする攻撃の象徴となる人物と見なし、アメリカの白人性に対抗するキャンペーンを担う歩兵の一種と見なしているわけである。［太字による強調は原文］

(153)［訳注］トレイヴォン事件からおよそ一ヵ月後のある会見の場で、事件についてコメントを求められたさいにオバマが答えた内容を踏まえた表現。オバマはそこで、「もし私に息子がいたら、トレイヴォンのようだったかもしれません。彼の両親には、われわれの全員が一人のアメリカ人として、それにふさわしい真剣さでこの事件を取りあげることを期待する権利がある。われわれは正確になにが起こったのかを徹底的に調べていかなくてはなりません」と述べている。内容はもとより、大統領が会見の本題とは直接関わらないことについてなかば個人として発言したことが大きな話題となった。

(154)［訳注］殺意をもって故意に殺人をおこなっているが、計画性は認められない場合に適用される罪。

(155) https://www.blogger.com/blogin.g?blogspotURL=http://onestdv.blogspot.com/2012/04/american-masses-and-why-i-stand-with.html［現在このブログは招待制となっているため、確認することはできなかった。］

事実を無視する進歩主義

一方でPCを取り締まる人民警察たちの側もすぐに動きだした。公開裁判によって当初の物語が混乱に陥っていくなかで彼らは、事実とは（まったくといっていいほどに）無関係なそのメッセージに、あらためて人々の関心を向かわせていった。彼らのこうした尊大さを、不明瞭かつヒステリックな調子で他の誰よりも分かりやすく示しているのは、以下のように述べている『イゼベル』(157)である。

どうすれば黒人たちはいまだに抑圧されてるんだってことが分かるか知ってる？　なんでこんなことといいだすかって、じっさいに**黒人たちはいまだに抑圧されてる**からだよ。もし自分は人種差別主義的な人間じゃないって主張するなら（すくなくとも――誰もが約束できる最善の態度として――そうならないために全力で努力してるんだとしたら）、人間は根本的に平等に生まれてるって信じる必要がある。そしてもしそれが本当なんだとしたら、なにかしらの邪魔が入らないかぎり肌の色なんかの要素が人の成功に影響することはないことになるでしょ？　だから人間は平等につくられてるって本気で信じてて、一方でめちゃくちゃな人種間の不平等が現実のこの世界のなかに存在してるって知ってるんだとしたら、そこから**可能性として**導きだされる唯一の結論は、なにかしらの外からの力が特定の人たちを抑えつけてるんだってこと以外にはないわけ。そしてたとえばそれが……人種差別ってことになるでしょ？　というわけでおめでとう！　あんたは人種差別を認めてることになる！　［人種間の不平等を知りながら、人種差別はもう終わったのではないか、などといいだす以上］本当のところ人間は平等に生まれてるって考えてないことになるんだからね。ようするに、人間は平等に生まれるって信じてないんだとしたら、どうしたってあんたはクソみたいな人種差別主義者だってことになるんだよ。

いったいどこの誰が、ここで理解されているような意味で「人間は平等に生まれるって本気で信じている」というのだろうか。いいかえよう。人種間の平等な待遇を正式なかたちで要求していくことは、文明的な相互関係の前提条件なのだということのみならず、その結果としてあきらかになる実質的な平等からの偏差は、なんの曖昧さもなく明白に、抑圧が存在していることを示すものなのだなどという議論を、誰が信じているというのだろうか。いったいどうしたらそんなことが、

(156)［訳注］alt-right：既存の右翼に代わって（つまりそのオルタナティヴとして）台頭した、アメリカにおける新たな右翼勢力の総称。「オルト・ライト」とも。インターネットの匿名掲示板や、後にはSNSなどを使って二〇〇〇年代後半から勢力を拡大し、二〇一六年の大統領選でトランプを当選させた背景の一つとして注目を集める。特定のイデオロギーを信奉するものではないが、人種主義、ホワイト・ナショナリズム、反ユダヤ主義、反フェミニズム、ポピュリズム、排外主義などをおおよその特徴とする。

(157) https://jezebel.com/a-complete-guide-to-hipster-racism-5905291［フェミニズム寄りのゴシップ系ウェブ・メディアである『イゼベル』に掲載された、ライターのリンディ・ウエスト（Lindy West）による記事「ヒップスター人種主義完全ガイド」へのリンク。引用されているのは、リベラルを自任する流行に敏感な若者たち（ウエストの言葉でいえば「ヒップスター」たち）のあいだに根強く残っている人種差別的な言動を告発するこの文章の結論に当たる箇所。卑近な状況から例を集め、それを架空の「ヒップスター」たちとの対話として構成して、彼らの発言に逐一厳しく反論していくウエストは、対話相手からのありうる反論として最後に、「だけど、黒人が大統領になったでしょ？　ならもう人種主義は終わったんじゃないの?」という問いを挙げている。引用されているのは、直接にはこの問いにたいする反論として書かれている部分。］

「**可能性として**導きだされる唯一の結論」だといえるのか。

だがすくなくとも、根拠を求めたり疑念を感じたりする感覚にいっさい汚染されることなく、取りあつかう問題に関連する研究を——それが実在するものであれ予想されるだけのものであれ——こともなげに軽蔑し、自分自身の道徳的な無敵さにたいして絶対の自信をもったまま、そのもっとも純粋な形式において進歩主義の信仰を表現してくれている点にかんしては、『イゼベル』に感謝しておくべきだろう。もし事実が**道徳的に間違っている**なら、悪いのは事実の方になるわけだ——たとえその結果が、希望的観測や意図的な無視や、侮蔑的で子供じみた嘘が合わさったものになるのだとしても、それこそが、**可能性として**受けいれられる唯一の結論なのである。

人間の実質的平等という発想は一種の信仰であり宗教である

とはいえ、こうした人間の実質的な平等にたいする信仰を迷信と呼ぶのだとしたら、迷信を侮辱してしまうことになる。たとえばレプラコーン(158)の存在を信じることに正当な根拠が認められることはまずありえないだろうが、その存在を信じている人間はすくなくとも、一日のうち目を覚ましているあいだはずっと、**それが存在していないという根拠を目にしてはいない**。だが対照的に、人間の平等など存在しないということは、ありあまるほど多種多様な例のなかで、たえずはっきりと示されていることである。つまりそれは、人々が、ジェンダーや民族性や、身体的な魅力や、身長や体型や、体力や健康や機敏さや、愛嬌やユーモアやウィットや、勤勉さや社交性といったものを筆頭に、その他無数の特徴や遺伝的な形質、獲得した能力やその性格の多様な側面のなかで、あるものはすぐに見て分かるかたちで、またあるものはゆっくりと時間をかけ、さまざまな違いを見せていることの結果として、たえずはっきりと示されていることなのだ。そのごくわずかな欠片さえも逃さずにまとめあげてしまい、そうしたさまざまな違いのすべてを取るに足りないものだと見なし、あるいは「社会的構築物」や抑圧の指標だと見なすことだけが、唯一可能な理解のあり方だと考えるのだとしたら、そんなものはもう完全に、あらゆる根拠を超え、目に見えている現象のその奥に真実の善なる世界の存在を主張するグノーシス主義(159)的な妄想でしかない。人間は平等ではない、彼らは平等に育ちはしない、それぞれが目指す場所や成しとげることは平等ではない、そしてなにものも彼らを平等にすることなどありえない。実質的な平等が現実と関係するのは、現実の方が組織的に否定される場合だけである。中途半端な現実の否定は、（個々の能力には違いがある以上）かえって人々をバラバラにするだけであることを考えれば、効果的な平等主義的プログラムの実現を目指すからこそ、大量虐殺規模の暴力が要求される場合も考えられる。

一つだけ、もっとも分かりやすい例を挙げておこう。子供が一人でもいる者であれば、**誰も平等に生まれはしない**ことは周知のとおりである（おそらく一卵性双生児やクローンは別にして）。**事実のレヴェルにおいて**、すべての人間は数えきれないほどさまざまな点で生まれながらに異なっている。こうした違いがその後の人生の結果にたいしてもっている含意をはっきりと予測することが困難だからといって――じっさいにはそれが普通なわけだが――、その違いそのものを否定すること

（158）［訳注］leprechauns：アイルランドの伝承に登場する小人の妖精。

（159）［訳注］一世紀ごろ地中海沿岸地域で栄えた宗教思想。物質的な世界の一切を悪と見なして退け、いまある世界の起源にかつて存在した善なる真の世界についての「グノーシス」（ギリシャ語で「知識」や「認識」の意）に到達することを求める、徹底した二元論の立場を取る。

はできないし、あるいはすくなくとも、嘘偽りのない誠実な態度でそれを否定することはできない。だがいうまでもなく、ここで問題になるのは誠実さそのものなどではないし、最低限の知的な一貫性ですらない。重要なのは、たとえ政治的正しさ《ポリティカル・コレクトネス》という点ではまったく申し分のないものだとしても、『イゼベル』の立場は事実として疑わしいものであり、さらにいえば滑稽なほど馬鹿げたものであって、じっさいのところ——はっきりといえば——、正気の沙汰とはいえないものなのだということである。現実の否定をあまりにも極端に主張するあまり、結果としてそれは、誰もそれを本気で主張することはできず、考慮することさえできず、ましてやもっともらしく説明したり擁護したりすることのできないものと化している。狂気が律法を生みだし、権威主義的な宗教を生みだしたのと同様、そこにあるのは、誰も理解することはできず、ただただ断言し、服従するしかない信仰の教義なのである。

この宗教がもつ政治的な命令ははっきりとしている。すなわちそれは、進歩主義的な社会政策を罪にたいする不平等の問題にたいする唯一**可能な**解決として受けいれよ、というものだ。この命令は一つの「定言命法」[160]であり——想定されうる事実がその力を弱めたり、それを複雑化したり修正したりすることはありえない。進歩主義的な社会政策が現実に問題を悪化させることがあるとしても、「堕落した」現実の方が非難されることになる。なぜなら、問題が悪化するとしたらそれは、社会的な欠陥が当初予想されていたよりも**あきらかに**深刻だということを意味し、同じ方向に強化された努力だけがそれを改善できる望みがあることを意味することになるからだ。いずれにせよ、こうした信仰から学ぶべきことはなにもない。組織的な社会の崩壊が教えてくれるのは、その過程で慢性的な失敗や増大する事態の悪化がいっさい省みられることはないという教訓だけである（そこにあるのはようするに、誰が見ても分かる大規模な社会ダーウィニズム[161]であり、文明が終わりへと向かう道に他ならない)。

人間の生物学的多様性と、それを支持する「厄介な人間たち」の存在

人間の生物学的多様性においてもっとも取りあつかいの難しいものとなるのは、(スピアマンのg因子[162]を測定したものである)IQ［知能指数(Intelligence Quotient)］というかたちで数値化される、知能や一般的な問題解決能力という次元である。なぜならそれは、現代社会における社会的な所産に見られる実質的な変化の度合いと、例外的な相関関係にあるものだからだ。だが一方で、「統計学的な常識」や類型化を人間の生物学的多様性の支持者たちに適用してみると、彼らに共通する際立った特徴がすぐさまあきらかになる。つまり彼らはみな、著しく感じのよさを欠いているのである。じっさい、呪われたその「コミュニティ」それ自体のなかでは、人間の生物学的な変異[163]にかんする問題を自らすすんで学ぼうとするような御しがたく始末に困る人間たちが、言葉を抑制する能力や共感性に乏しく、社会的な統合の度合いが低く、あきらかに「社会的に遅れて[164]」いて、結果としてつねに集団のなかで期待されていることに適応できずにいることは、広く受けいれられている

(160)［訳注］ドイツの哲学者イマヌエル・カントの用語。人間一般を対象とした無条件の道徳的命令のことを指す。

(161)［訳注］ダーウィンの提唱した生物進化論、とくにその適者生存や自然淘汰の議論を社会現象に当てはめて説明する社会理論の一種。歴史的には、利潤追求や特定の人種による支配を合理化するために用いられ、優生学や帝国主義を正当化する根拠として用いられてきた。

ことだといえる。このグループに属する者たちの典型的EQ[165]を二乗すれば、彼らのおおよそのIQが導かれることになるはずだ。超然とした態度で同好の人間たちと関係をもつかぎりは問題ないが、かといって閉じた世界観のなかにすっかり閉じこもるほどでもない、そんな軽度の自閉症が彼らを象徴するものである。他でもなく彼ら自身が——豊富な専門的情報にもとづいて——実質的な遺伝性をもつものと見なすこうした特徴は、あきらかな社会的帰結をもたらす。具体的にいえばそれは、彼らの雇用の機会や収入、さらには生殖能力さえも低下させていくことになる。進歩主義的な環境のなかではセラピー的な助言が惜しみなくいくらでも与えられているにもかかわらず、彼らのそうした厄介さに減少のしるしは見られず、激化している疑いさえある。『イゼベル』が分かりやすく示していたとおりそこには、**可能性として**導きだされる唯一の結論として、構造的な抑圧のしるしが見いだされるのかもしれない。ではいったいなぜそうした厄介な人間たちは、幸運を摑むことができないのだろうか。

なぜならそれは、歴史がそう運命づけているからだ。「社交的な人間たち《ソーシャブルズ》」はつねに厄介な連中に難癖をつけ、たいていはそうした者たちと結婚したり一緒に仕事をしたりすることを拒み、集団での活動や重要なポストから彼らを締めだして、中傷的な名前をつけ、彼らをのけ者にして近寄ることがない。「厄介さ」という言葉がきわめて否定的な意味を与えられ、そうした意味でステレオタイプ化しているため、厄介な人間たちの多くはこれまで、「社会的な努力を必要とする者」や「別の社会的能力をもつ者」のような、より繊細な呼び名を要求しつづけてきた。その極端な厄介さだけを理由として彼らは、これまでずっと言葉による攻撃にさらされつづけ、また身体的に攻撃されることさえも珍しくないなかで暮らしてきた。なかでももっとも悲劇的なのは、おたがいに仲良くやっていくことにたいするその完全な無力さゆえに、厄介な者たちはずっと、自らが直面している構造的な社会的抑圧に抵抗するために政治的に結集することができず、冷笑家で暴露好きでなにかにつけて反対する人間や、トゥレット症候群[166]の罹患者など、彼らにふさわしい仲間となりうる者たちと連携することができずにきたことである。インターネットが「救い」になる可能性はある

(162)［訳注］g-factor, general factor：イギリスの心理学者チャールズ・スピアマン（Charles Spearman）がおこなった人間の知能を左右する因子の二分類のうち、知的活動一般にかかわる生得的な因子。分野を限定した知能にかかわる後天的因子（s因子：s-factor, specific factor）と対比される。

(163)［訳注］variation：ある個体の構造や性質が同類の個体とは異なることを示す生物学の用語。

(164) http://blogs.discovermagazine.com/gnxp/2012/04/one-baby-alone-on-a-pca-island/#more-16427［科学雑誌『ディスカヴァー』ウェブ版に掲載された遺伝学者ラジブ・カーンの記事「主成分分析の島にただ一人の赤ん坊」へのリンク。自身の娘を被験者とした遺伝子の解析データをめぐる高度に専門的な議論が展開されるこの記事のコメント欄では、記事の内容をきっかけにして、閲覧者たちと著者カーンのあいだで、ほとんど罵詈雑言の応酬といっていい論戦がなされている。「社会的に遅れている」という表現は、そうした議論のなかで相手にたいする罵りの言葉として用いられているものの一つ。なお、現在ではこの記事は削除されているようでリンク切れ。］

(165)［訳注］情動指数（Emotional Quotient）の略記。自らの感情を適切に把握しコントロールする能力や、他者の感情を共感的に理解する能力を数値化してあらわした心理学の用語。いわゆる〈頭のよさ〉を意味するＩＱと対比的に用いられるもので、知能をより多面的にとらえた実質的で社会的な判断基準と見なされる。

(166)［訳注］突発的で不規則な体の動きや発声が見られる障害を意味するチックが、一定期間慢性的に見られるものを指す神経精神疾患の一種。小児期に発病し、二〇代までに完治する場合が多いが、社会的に受けいれられない劣等感から、抑うつ症や不安症などの二次障害に繋がる例が多い。病名はこの症状を初期に記録したフランスの神経内科医の名前に由来。

とはいえ、厄介な者たちはいまだに解放されているとはいえない……。

集団と個の同一視は社会性の前提条件である

以上を踏まえあらためてここで、なによりもその仮借のない厄介さに焦点を当て、社会性と客観的な理性のあいだにある負の相関に注目したうえで、目下非難の的となっているジョン・ダービーシャーのエッセイ「例の話《ザ・トーク》――非黒人版」[167]について考えてみよう。ダービーシャーが別のところで指摘しているとおりだが、たいていの場合、人は集団のアイデンティティと自分自身をしかるべきかたちで区別することができないものであり、集団についての統計学的一般化を、自分自身のことを含む個人的なケースにたいして適切なかたちで当てはめることができないものである。集団的な類型を実質的なものと見なすことは、合理的には擁護することのできないものだが社会的には避けがたいことだと考えられる。結果として、具体的な情報が手に入る状況であるにもかかわらず、ノイズが多く直接には関係のない統計学的情報が、誤って自己理解に貢献するものとして受けとられてしまうことになるわけだが、しかしにもかかわらず集団的な類型を実体化することは、心理学的に見ても正常なことだと――さらにいえば「人間的な」ことだと――される。

だが社会的自閉症者や合理的な分析を徹底するEQの低い者たちからすれば、そうした判断は単純に**間違っている**ものでしかない。一人の個人がなんらかの特徴をもっていると考えるなら、その個人が平均的な特徴に近かったり遠かったりするようななにかしらの集団に属しているという事実は、彼／彼女の特徴にとってなんの関連ももたないものである。つまり個人についての直接的で確定的な情報が、その個人が属している集団についての間接的で不確定な（つまり確率論的な）情報

（167）https://www.takimag.com/article/the_talk_nonblack_version_john_derbyshire/〔二〇一二年四月五日付で保守派のウェブ・メディア『タキズ・マガジン』に掲載。ダービーシャーはまず、「例の話《ザ・トーク》について多くの話がなされている」と書きだし、このパートのエピグラフで引かれているステイプルズの記事をはじめ、トレイヴォン事件以来いかに黒人の親たちがその息子の行く末を案じているかを紹介するいくつかの記事へのリンクを貼っていく。そのうえで彼は、「［だが］非黒人のアメリカ人たちがその子供たちと交わしている例の話《ザ・トーク》も存在する」と切りだし、自身が折に触れ自らの子供たちに話してきたのだという「例の話《ザ・トーク》」（ランドの表現でいうなら「反対側からの例の話《ザ・カウンター・トーク》」）を計一五からなる項目に分けて列挙していくことになる。その大意は次のとおり。前提としてダービーシャーは、統計学にもとづいて白人にたいする黒人の犯罪率の高さを指摘し、その背景には黒人たちの白人にたいする敵意があるのだとする。したがって彼は、個々の黒人を尊重することは当然の「原則」だとしつつも、白人であるというだけで敵意を向けられるのが目下の状況なのだとするなら、こちらの側も「統計学的な常識に頼る必要がある」と述べる。こうしてダービーシャーは、「個人的に知らない者が一人でもいる黒人の集団には近寄らないこと」、「黒人が多く住む地域は避けること」といった、子供たちにたいする実践的な助言を挙げていくわけだが、ここで注意するべきは、ランドがこの「話」を、すでになされている「話」の「カウンター」であるとしているとおり、そうした助言は、すくなくともダービーシャーの理解としては、黒人たちの側からの一般化にたいする「対抗《カウンター》」としてなされているものであり、のちに続くこのパートでのランドの整理によれば、そうした一般化にたいして「防衛的に」ふるまった結果であるとされている点である。したがって両者の「話《トーク》」のあいだにある対立を、あえてダービーシャーの側に立って整理しておけば次のようになる。つまり、黒人たちによる、そしてその背景にあるリベラリズムによる「話《トーク》」が、俗情に訴えかけ認知的なバイアスを誘発しながらまかりとおっているものである一方で、ダービーシャーによる「厄介」な「話《トーク》」は、統計学的な根拠にもとづく徹底して合理的なものとなっているわけである。記事の後半で彼は、やはり統計にもとづいて「黒人の知能は白人のそれよりはるかに低い」（にもかかわらず積極的是正措置《アファーマティヴ・アクション》その他によって社会的・政治的な厚遇を受けている）と述べているが、それもたんなる扇動という以上に、リベラリズムにたいする、ひいては（それが激化させるのだと言外に彼が見なしている）黒人の反社会的行動にたいする自衛の身ぶりとしての発言であ

によって豊かになることなどありえないわけだ。たとえばある個人の試験結果がすでに知られている場合、グループの類型化をもとに生じると考えられていた試験結果についての統計を参照することによって、その個人についてのさらなる理解がもたらされることはない。アシュケナジム系ユダヤ人[168]の愚か者は、彼がアシュケナジム系ユダヤ人だから愚かなのではない。老いた中国の尼僧が殺人犯になることはありそうもないことだが、殺人犯がたまたま老いた中国の尼僧であったからといって、彼女が他の殺人犯と比べ残忍であったりなかったりすることはない。こういったことは、厄介な人間たちにとってきわめて明白なことである。

しかし一般的な人々にとって以上のようなことは、少しも明白なものではないのだ。その理由としてはたとえば、人間には合理的な知性が乏しく、それをもっていることがむしろ非凡な事態であることや、社会的な「知性」は人々が考えていることと連動するものだということ、つまり非合理な集団的感情や、情報の不足や、先入観や、ステレオタイプや、経験則にもとづいた試行錯誤的な態度と連動するものだということが挙げられる。したがって、（ほとんど）あらゆる者が理性を節減《ショート・カット》し、あるいはそれを「節約《エコノマイズ》」していることを考えれば、それ自体として実在的なものとして扱われ、不適切なかたちで当てはめられるものである――いいかえれば、具体的な知覚を上書きしてしまい、それに取って代わるものである一般化にたいしては、防衛的にふるまうことだけが唯一の合理的な判断なのだといえる。集団のアイデンティティによって事前に定義されてしまうことをあらかじめ予測しておけば、そうした集団の内部に身を置いたりその集団の存在が知覚されるなかで、自分自身を取り囲んでいるものの範囲が拡大されてしまうことに気づくことができる。しかし通常の条件下では、客観的なかたちでもたらされる総称的な評価は、（たとえそれがどれほど無関係なものであったとしても）すぐに個人的なものへと変わってしまうことになるのである。

厄介な理性は、**平均的なものはすべて個人とは無関係なものなのだ**と断固として主張する傾向にあるが、そうしたメッセージが広く受けいれられることはない。人間の社会的「知性」はそれを受けいれるようには作られていないのだ。ひとかどの教養を備えているはずの解説者たちでさえ、基本的な統計学にたいするまったく話にならないような無理解をさらしていっこうに恥じることがないが、それはこの件にかんしてそもそも恥など感じる必要がないことになっているからに他ならない（むしろ彼らは、そうしたことを知っていることの方が恥ずべきことなのだと考えている）。こうした分野における愚かさにたいする唯一のオルタナティヴが厄介さであることを考えれば、自らの信じる科学や確率論を他者にたいして適用するさい、そこにはかならず諸々のステレオタイプが介在することになるのだという事実を理解しないことは、社会性がしかるべく機能するための前提条件なのだといえる。

り、自身たちの立場をより明確化するための言明なのだといえる。じっさい彼は、以上のような「例の話《ザ・トーク》の私の解釈に逐一従う必要はない」としつつも、もし白人やアジア人の子供がいるなら、トラブルを避け無駄な時間を使わせないためにも、いずれにせよ「なんらかの話はする責任」があるとし、それは「子供たちの命を救うことになるかもしれない」と記事を結んでいる。」

(168)［訳注］イスラエルを追われたユダヤ人のグループを二分したもののうち、ドイツ語圏や東欧諸国に移住した者たち、およびその子孫を指す。一部の遺伝学者の研究によれば、集団として高いＩＱをもつとされる。スペインなど南欧諸国やトルコなど中東地域に移住したセファルディム系ユダヤ人との対比で用いられる。

ダービーシャーの記事がもつ「厄介さ」

ダービーシャーの記事が注目に値するのは、それが**決定的に厄介なものとなっている**からであり、寄せられた批判に応えるなかでその一貫性のなさがあきらかになっていったにもかかわらず、いずれにせよ、決定的に厄介なものとして世の中に受けとられたからに他ならない。「ステイプルズが紹介した」「例の話《ザ・トーク》」と、「それを受けたダービーシャーの」「反対側からの例の話《ザ・カウンター・トーク》」に共有されたものの一つとして、**漏れ聞こえてくるように計算された擬似的なプライヴェートの会話**という演劇的な構造が指摘できる。どちらの記事のなかでも、状況に強いられて親が子供たちに伝えているメッセージが、より広い社会的教訓を伝えるものとして上演されている。しかもそれは、自分たちにとって耐えがたく危険な世界を、積極的にであれ消極的にであれ自ら生みだしてしまっている者たちに向けられて上演されている。

こうした演劇的形式は本来的に操作可能なものであり、そしてその操作性こそが「原作《オリジナル》」となったストーリーを魅力的なパロディの標的に変えている。原作《オリジナル》の方は、作為的な無垢（あるいは無知）をつうじて、苦悩する親たちの誠実さという印象を巧みに表現している。息子よ、理解するのは難しいだろうけど、よく聞きなさい……というわけだ（**しかしいったいなぜ彼らはそれを私たちに向けていっているのか**）。だがまったく対照的に、反対側からの例の話《カウンター・トーク》の方は、ミクロなレヴェルの社会的なドラマと、「人間科学における組織的な研究」にもとづいた臨床的で非社会的な言説を混ぜあわせたものであり——人口集団を政治的で法的なコミュニケーションの主体としてではなく、数量化可能な性格を備え、たがいによく似かよった生物地理学的な単位として扱う文章である。それは無垢さを愚弄し、そして社交性の尺度それ自体を——暗示的なかたちで——愚弄する。

それは他者からの同意にたいして、さらにいえば同意の可能性にたいしてさえ、なんの価値も与えていない。何度も繰りかえして厳密に列挙されていく統計的なデータによって議論が展開されていくため、もしその議論を受けいれられないとなれば、問題があるのは受け手の方であることになる。

統計学的な類型化にたいする左右からの批判

とはいえ、たとえその論理をたどり好意的に読んだとしても——いいかえればあくまでも厳密に、厄介さに徹して読んだとしても、ダービーシャーの記事は批判の根拠を与えてしまっている。ここで注目するべきは、冒頭から指摘できることとして、「非黒人のアメリカ人《ノン・ブラック・アメリカン》」の人種的な相対物は「黒人のアメリカ人《ブラック・アメリカン》」であって、（ダービーシャーの選んでいる言葉である）「アメリカの黒人《アメリカン・ブラック》」ではないという点である。名詞と形容詞の入れ替えによるこの世界秩序の反転はすぐに一つの規範を生みだし、以降の論旨を決定づけていくことになる。(169)「アメリカの黒人《アメリカン・ブラック》」というその表現が意味

(169)［訳注］先述のとおり、ダービーシャーはこの文章で、計一五からなる子供たちへの助言を挙げていくわけだが、その項目の二つ目、アメリカの黒人たちの人口統計学上の祖先を述べる箇所で彼は、ランドがここで問題にしているとおり、「黒人のアメリカ人《ブラック・アメリカン》は」ではなく、「アメリカの黒人《アメリカン・ブラック》は、その大半が西アフリカに居住する人々を祖先にもち」云々と書きだしている。結果としてその後のダービーシャーの論旨は、リベラリズムによる（情動を操るような）一般化に対抗するなかで、また別の（統計学的な類型にもとづいた）一般化を（すなわち「黒人一般にたいして非文明性を根拠なく拡大して適用していること」を）生んでいるのではないか、というのがここでのランドの指摘の要点であり、そして彼の注目するセルタンやミルマンが（動機もその結論も異なりつつ）同様に批判している箇所でもある。

しているのはおそらく次のことである。つまりダービーシャーはこの文章において（「黒人の諸個人《ブラック・インディヴィジュアルズ》」ではなく）、「個々の黒人《インディヴィジュアル・ブラック》」にたいして、より文明的なふるまいを要求しているのだ。この二つの表現のあいだにはあきらかに違いがある。誰かを「黒人の」と形容することは、その人物についてなにかをいうことだが、誰かを「黒人」だということは、彼らが誰であるかをいうことだ。後者のようにいうことは、わずかだが、しかしはっきりと人を威嚇するものであり、代数学的なものともいえるそういった操作に慣れ親しんでいるダービーシャーが、その効果に気づかないはずはない。ようするに、たとえば「ダービーシャーは白人だ」という表現のなかには、個別的なものを類概念で覆いかくし、それをたんなる事例や事実の一つとして回収してしまうこのたぐいの定式化の常として、発話者の意見の押しつけが読みとられるわけである。

　記事のなかでダービーシャーが黒人一般にたいして非文明性を根拠なく拡大して適用していることを、より専門的で実質的な側面から検討したのは、ウィリアム・セルタン[170]［William Saletan：ライター、『スレート』誌特派員］とノア・ミルマン[171]［Noah Millman：映画プロデューサー、ジャーナリスト］の二人である。両者はリベラルと保守に分割されている二つの陣営から、おたがいによく似た主張を展開している。どちらの書き手もダービーシャーの記事のなかに、マクロな社会統計学的一般化が、ミクロな社会にたいして適用されていることからくる齟齬や、その方法論的な不適当さを指摘している。人口集団そのものと対峙したことのある者などいないことを考えれば、それがどれほど厳密に間違いないものだと見なされているとしても、ステレオタイプというものは**本質的に**、なんらかの具体的な社会状況における特定の知識よりも劣ったものであることになるのだというわけだ。

セルタンが危うい立場(172)にいるリベラルであることを考えれば、ダービーシャーの下す「吐き気がするような結論」からメロドラマ的に後ずさりしてみせる以外の選択肢は残されていないわけだが、しかしそうした態度はかならずしも、彼の個人的な感情や胃の調子によって説明しつくされるものではない。「だが統計学的な真実とは、厳密にいっていったいなんのことなのか」とセルタン

(170) https://slate.com/news-and-politics/2012/04/john-derbyshire-trayvon-martin-and-the-ignorance-of-racial-profiling.html〔『スレート』誌に掲載されたセルタンの記事「ジョン・ダービーシャーの誤り――人種の類型化という無知」へのリンク。〕

(171) https://www.theamericanconservative.com/millman/a-quick-word-on-the-derb/?utm_source=rss&utm_medium=rss&utm_campaign=a-quick-word-on-the-derb〔『アメリカン・コンサヴァティヴ』誌ウェブ版に掲載されたミルマンの記事「とりいそぎ、ダーブの件について」へのリンク。〕

(172) https://slate.com/technology/2007/11/liberal-creationism.html〔二〇〇七年に『スレート』誌に掲載されたセルタンの記事「リベラル派の特殊創造説」へのリンク。分子生物学者のジェームズ・ワトソンが、アフリカ人の知能は「われわれ〔白人〕と同じではない」と述べたことで職を追われた件を批判的に報じるリベラル派メディアの報道にたいし、セルタンはここで、具体的な統計データを挙げつつワトソンの議論をむしろ肯定的なものとして論じ、「いまこそわれわれは、知能テストにおける人種別での平均値を見るかぎりで、知能の平等が真実ではないことがあきらかになる可能性について備えるべきである」と述べている。だが、データの取り扱いが早計であるとする批判や、データの主な参照先であった心理学者が白人至上主義団体と関係しているという指摘を受け、一〇日後には「後悔」と題した記事（https://slate.com/technology/2007/11/created-equal-regrets.html）を投稿して先の記事での立場を撤回している。ランドがここで、セルタンは「危うい立場」にいるとして、ダービーシャーにたいして過剰に拒否反応を示してみせる以外の選択肢はなかったのだと述べているのは、以上のような事情を踏まえてのことだと考えられる。〕

は問い、そして次のように答えている。「それは、［特定の個人について］なにも知らないときに当てにされる蓋然的な推定値であり、無知な人間が知識の代わりにする根拠のない代用品である」。さらにセルタンは記事のなかで、黒人のフィールズ賞[173]受賞者はいままで一人もいないというアスペルガー症候群[174]的な指摘を披露しているダービーシャーは、「（……）社会的な知性を統計学的知性と取り代えてしまう数学オタクである。彼は自分の前に立っている人間について学ぶ手間をかける代わりに、集団にかんする計算を推奨する」のだと断じていく。

一方でミルマンは、ダービーシャーが見せた皮肉な逆転を強調している。つまり彼は、（厄介な）社会科学的知識を得る機会を、無知のままでいることの強制へと変えてしまったというのだ。

自分たちはこの世界について知ろうとしているが、「政治的に正しい」タイプの人間たちは醜悪な現実を無視することを選んでいる。「人種にかんするリアリスト」とは、そんなふうに指摘することを好む者のことである。だがダービーシャーが自身の子供に与えるアドヴァイスは、傷つけられることにたいする恐れから、子供が自分を取りまく世界にたいし興味をもちすぎないことを勧めている。原則的にいってこれは、子供にとってひどいアドヴァイスであり――ダービーシャーがその生涯をつうじて従ってきたアドヴァイスとは異なるものである。

またミルマンの文章は、以下のとおりその結論にも見るべきところがある。

ではいったいなぜ私はダーブについて議論しているのか。それは彼が友人だからだ。そしていくら怠惰で、社会的に無責任な話《トーク》だとしても、たんに糾弾されるのではなくしっかりと反論されるべきだからだ。ダービーシャーの記事は人種主義的なものといえるかと聞かれたら、**いうまでもなくそれは人種主義的なものだ**と答えよう。だが全体的な彼の問題は、黒人を白人とまったく異なるかたちで扱い、そして黒人を恐れることは、子供たちにとって合理的にも道徳的にも正しいことなのだとしている点にこそある。「人種主義的な」という形容それ自体は、道徳にかんするものではなく、事実を述べたものである。事態を見守る「人種にかんするリアリスト」たちは、ダービーシャーの記事の主な前提の正確さを強く確信している。そうした確信をもつことは「人種主義的」なのだという主張によって、彼らがそれについての議論をやめることはない――率直にいって彼らは、そうであるべきなのだ。だからこそ私は、ダービーシャーが下した結論は彼が前提としていることからそのまま導かれるものではないのだということを議論することが重要であり、そしてたとえこの問題をめぐる議論のために彼が前提としていることが認められたとしても、その結論が道徳的に不正確なものなのだということは変わらないのだということを議論することが重要だと感じているのだ。

（しばらくの中断……）

(173)〔訳注〕数学の分野で目覚ましい研究成果をあげた者に与えられる賞。一般に「数学のノーベル賞」と呼ばれる。

(174)〔訳注〕発達障害の一種。コミュニケーション障害や、興味や言動の著しい偏向などをその具体的な症状とする。広義での自閉症の一種だが、言語障害などは見られず、発見が遅れる場合が多いとされる。

PART 4C

〈クラッカー・ファクトリー〉

人種にかんする弁証法的な議論は、左派を勝利させ、右派を敗北へと追いこむ。このパートでランドはまず、そうした構造の起源として公民権運動を名指し、運動の象徴としてキング牧師のスピーチを取りあげて、リベラル派はもとより、度重なる敗北のなかで、いつしか保守主義の側もその内容を、その「夢」を内面化していったことを指摘する。だが一方で、一般に保守主義の掲げる政策が黒人たちに支持されることはなく、右派は二重に敗北することになり、ランドが〈クラッカー・ファクトリー〉と呼ぶ袋小路へと追いやられていく。じっさいダービーシャーの事件をめぐる喧騒のなかで、奴隷制以来の黒人差別という「原罪」を背負ってきた右派たちは、あらためてその身動きを封じられていったのだった。だがランドは、事件において真に注目するべきは、その背景にうごめくものなのだと述べる。それこそがすなわち、人間の生物学的多様性説にもとづきつつ、人種にかんする弁証法的な議論にかかわることをやめ、たんにそこからの「出口《イグジット》」へと向かっていこうとする、暗黒啓蒙的な新たな分離主義の趨勢に他ならない。

われわれがアメリカの首府ワシントンへやってきたのは、小切手を換金するためと言っていいでしょう。われわれの共和国を建設した人々は、格調高い憲法や、独立宣言を書き、アメリカ人だれもが受け取り人になる約束手形に署名しました。この手形には、奪うことのできない生命、自由、幸福の追求の権利を、すべての人間に約束すると記されています。

この約束手形は有色人種に関するかぎり、いまだに不履行です。この聖なる義務に敬意を表すかわりに、アメリカは黒人に、不渡り小切手をよこしました。「資金不足のため」と付箋がついて、小切手は戻ってきました。

——マーティン・ルーサー・キング・ジュニア(176)

保守主義は(……)例外も散見されるにしろ白人たちの運動である。これまでもずっとそうだったし、これからもずっとそうありつづけるだろう。私はいままで、保守主義にかんする集会や会議、遊説や大会に何度も出席してきた。そのうえでいわせてもらうが、そうした場に来ている仲間たちのなかにそれほど多くの黒人はいない。私は『ナショナル・レヴュー』の編集部に一二年間出入りしてきたが、そこ

(175)［訳注］二〇一二年五月一七日更新。
(176)https://www.chicagotribune.com/news/nationworld/sns-mlk-ihaveadream-story.html［キングの一九六三年のスピーチ全文へのリンク。邦訳は『アメリカの黒人演説集——キング・マルコムX・モリスン他』荒このみ編訳、岩波文庫、二〇〇八年、二七七—二七八頁。］

で見かけた黒人は、招かれてやってきたハーマン・ケイン［Herman Cain：実業家、二〇一二年の大統領選で共和党予備選に立候補］を別にすれば、郵便の仕分け室を取り仕切っていたアレックスだけだ（元気でやってるか、アレックス！）。

　これは保守主義が黒人や混血の人間にたいして敵意をもっているからではない。事態はまったく逆で、ことに保守主義株式会社《コンサヴァティズム・インク》[177]の場合はそうである。臨時雇いの非白人にたいして彼らは、まるで子犬を扱うときのような敬意をもっておもねり、その結果として場の空気を気まずいものにしている（問題――一〇〇〇人の共和党支持者が集まる集会のなかにいる唯一の黒人を何と呼ぶか。答え――「議長《ミスター・チェアマン》」）。

　ようするにこれは、自給自足や政府にたいする依存の最小化などといった保守主義者たちの理想が、問題を抱えたマイノリティたちにたいして――いいかえれば、統計的な一般性のなかで見た場合、近代的な商業国家のなかでの成功を約束する特質を欠いているといえるグループにたいして――アピールするものではないというだけの話なのだ。

　そうした理想を受けいれたところで彼らにとっていったいなんの役に立つというのか。たとえそれを受けいれたとしても彼らは、社会の底辺でいま自分たちが置かれている状況よりもなおいっそう決定的な貧困へとたどりついて終わることになるだけである。

　彼らにとってよりよい戦略といえるのは、（ホモセクシャルやフェミニスト、あるいは行き詰まった労働組合のような）不満をかかえた多くの白人やアジア系の小集団と同じように、たがいに連携しあい選挙での多数派となって、失業対策事業を生みだし成功を収めているグループから彼らのもとに富をもたらすような、そんな大規模な所得再配分を約束する政治体制を制定することだといえる。

そしてそれこそが、まったく合理的で分別のある判断として、じっさいに彼らがいまおこなっていることなのである。

——ジョン・ダービーシャー(178)

新たな分離主義者たちは、すでにいたるところに存在している（……）。そして言論の自由は彼らに、自分たちの身を守る快適なブランケットを与えている。テキサス州は医療をめぐる政府の法令(179)に従うかわりに連邦から分離することができたは

(177)［訳注］金権政治に堕し資金集めに奔走する主流派の保守主義にたいしていわれる蔑称。

(178) https://vdare.com/articles/john-derbyshire-who-are-we-the-dissident-right［ホワイト・ナショナリズムやオルタナ右翼のウェブ・メディア『ヴィーデア』に掲載されたダービーシャーの記事「われわれはなにを自称するべきか。たとえば「反対派右翼」はどうだろう」へのリンク。『ナショナル・レヴュー』誌からの解雇を受け、自身の立場を明確化するものとして、「オルタナティヴ・ライト」や「人種についてのリアリスト」などいくつかの候補を挙げつつ、「反対派右翼」(dissident right）なる言葉を提唱していく。］

(179)［訳注］バラク・オバマが二〇〇八年の大統領選時に公約として掲げた医療保険制度改革、通称「オバマ・ケア」を指す。導入にさいしての増税が保守派の反対を買い、全国的な反対運動（いわゆる「ティー・パーティー運動」）を引きおこす。この流れはのちのトランプ政権の誕生の一因となった。

ずだとほのめかしたリック・ペリー［Rick Perry：政治家、〇〇年から一五年までテキサス州知事］や、アラスカの分離を支持する政治団体に所属していたトッド・ペイリン［Todd Palin：元アラスカ州知事サラ・ペイリンの夫］、あるいは、連邦政府との諍いを解決する手段として「憲法修正第二条[180]」に言及したシャロン・アングル［Sharron Angle：政治家、二〇一〇年の上院議員選の共和党候補］などはいずれも、昨今の言説のなかに浸透している危険な分離主義的レトリックの例となるものである。いまのところメディアはまだ、［分かりやすい分離主義の例として］南北戦争を再現しようとする者たちや南軍の旗をなびかせるピックアップ・トラックへとわれわれの注意を向けている段階にある。だが公的な立場にある人間たちも、修正主義のきわめて危険な残り火を絶やすまいとする学者たちから影響を受けているのだ。

——「実践的史実[181]」

アフリカ系アメリカ人は、我が国の良心です。

——ウォルター・ラッセル・ミードの投稿[182]にたいするハンドルネーム「通りすがり」によるブログ内でのコメント（スペル訂正済み）

アメリカの「原罪」と公民権運動の歴史的な意味

アメリカという国がかかえている人種にかんする「原罪」は根本的なものだ。それは合衆国の誕生以前に起こったヨーロッパの入植者たちによる先住民の一掃という出来事に遡るものであり、――よりあからさまな出来事として――奴隷制に遡るものである。奴隷制の歴史は、アメリカの黒人と白人の関係についての旧約聖書に相当する。そして事実考証と道徳的な戒めが分かちがたく溶けあって存在するその歴史はけっきょくのところ、拘束状態から脱出すべしという神意を伝える物語へと帰着する。トーラー[183]をその嚆矢とする様式に則った、長期にわたり、なおかつ苛烈なものであるというアメリカにおける社会的虐待のあり方は、西欧の伝統における道徳と政治の両面にかかわる原初的な神話を反復しながら、隷属とそこからの解放という物語を、すべてを凌駕する歴史的経験の枠組みとして設定しつづけてきた。一言でいえば、**わが民を去らせよ**というわけだ［『出エジプト記』五：一］。

(180)［訳注］合衆国憲法制定から四年後に追加された武器の保有権を認める条項。条文は以下のとおり。「規律ある民兵は自由な国家の安全保障にとって必要であるから、国民が武器を保持する権利は侵してはならない」。

(181) http://practicallyhistorical.net/2012/04/14/most-duplicitous-sort/［私立高校の教師によるアメリカの歴史についてのブログ「実践的史実」内の記事「きわめて不誠実な連中」へのリンク。あらたに高まりつつある分離主義的な潮流を批判的に紹介する。なおブログ自体は移転のうえ現在でも運営されているが、この投稿は残っていない。］

(182) https://blogs.the-american-interest.com/wrm/2012/05/14/academic-claptrap-and-its-consequences/［ミードの記事は、大学から黒人研究《ブラック・スタディーズ》の学科を廃止すべきだと主張したことで、ジャーナリストのナオミ・シェーファー・ライリー（Naomi Schaefer Riley）が記事の発表媒体である『クロニクル・オブ・ハイヤー・エデュケーション』誌から解雇された件を保守の立場から批判的に紹介するもの。したがってわずか一言だけのこのコメントは、ミードの論旨に反論する意図のもとに書かれたものであることになる。］

（上記に引用した）ブログ「実践的史実」は、南北戦争のさいにリンカーンが発した次のような言葉を紹介している。

しかし、もし神の意思が、奴隷の二百五十年にわたる報いられざる苦役によって蓄積されたすべての富が絶滅されるまで、また笞《むち》［天からの惨禍］によって流された血の一滴一滴に対して、剣によって流される血の償いがなされるまで、この戦争が続くことにあるならば、三千年前にいわれたごとく、今なお、［われわれも］「主のさばきは真実にしてことごとく正し」（詩篇一九：一〇）といわなければなりません。(184)

人種にかんする新約聖書は、かつてひな形になったものをふたたび取りあげつつ、その特徴をあらためて際立たせるかたちで一九六〇年代に書かれた。公民権運動、一九六五年の移民国籍法の大改正、（かつて南部連合を形成していた諸州に暮らす不満を抱えた白人たちにアピールするための）共和党の南部戦略。以上の要素がそれぞれに組みあわさった結果として、黒人たちと民主党のあいだに党派的同一性が作りだされる。すなわちそれは、過去数十年にわたって存続し——むしろ強化されてさえきた——人種をめぐる党派的な分極化のあいだを取りもつことによって、リベラルで進歩的な勢力が復活したことを意味していた。体系的で優生学的な人種主義の歴史と妥協してきた進歩主義運動と、伝統的に南部の白人の頑迷さやＫＫＫと結びつけられてきた民主党という双方にとって、公民権運動の時代は、賠償や儀式的な浄化や贖罪の機会を提供するものだったわけである。

だが対照的に、アメリカの保守主義（およびその媒体であり、次第に方向性を失っていった共和党）にとってそうした進歩は、ようするに死を意味するものだった。彼らはもはや、なんとか理由をつけてそれを回避し、先延ばしにしていくしかなくなる。結果としてアメリカという理念は、過去にたいする激しい拒絶と切っても切り離せないものと化し、そしてそうした拒絶は同時に、それがいまも過去によってかたちを与えられているかぎりで現在にたいしても及ぶことになる。その勢いを鎮めることができるのは唯一、「これまで以上に完璧な団結[185]」しかなくなる。ごく表面的なレヴェルを見るかぎり、新たに生まれた秩序のなかで広く共有されることになったそうした党派的な含意は、まったくあきらかなものだった。アメリカという国は、これまで以上に民主的になっていき、またこれまで以上に共和主義的でなくなっていった。実行力をもった執行部の主権が国内に集中し、活動家的なものに変わった政府が掲げる道徳的な急務が信仰の原則の一つとして導入されていった。すでに「旧右翼」と化してしまった者たちに逃げ道はなかった。過去へ向かう道が公民権運動という事象の地平面《イヴェント・ホライズン》[186]と交わり、究極的には奴隷制を意味する政治的に受けいれがたい出来事の領域へとかならずたどりつくことになる以上、彼らにはまた、引きかえすべき道も存在しなかった。

(183)［訳注］『創世記』、『出エジプト記』など、旧約聖書の最初の五書をユダヤ教の立場から総称した言葉。
(184)［訳注］邦訳は『リンカーン演説集』高木八尺、斎藤光訳、岩波文庫、一九五七年、一八六―一八七頁。
(185)［訳注］ever more perfect union：合衆国憲法前文における一節「より完璧な連邦」(a more perfect Union)を踏まえて、二〇〇八年の大統領選のさいの演説でオバマが強調した表現。
(186)［訳注］ブラック・ホールの境界面を意味する物理学の用語。そこを境にして、物理的影響は外から内のみに限定され、その逆はありえないとされる。

人種にかんする弁証法は、かならず左派を圧勝させる

左派は弁証法のもとに繁栄し、右派は弁証法をとおして崩壊する。政治の純粋な論理そのものを見るかぎり、状況はそのように推移していくことになる。そこから即座に帰結するのは、（メンシウス・モールドバグが繰りかえし強調していたとおり）進歩主義の左には敵はいっさいいなくなるという事態である。進歩主義はいまだその時代がやってきてはいない理想主義者だけを評価する。左派内部での覇権争いは政治の動力であり、自らを行動へと駆りたてる力を秘めたものとして賞賛されていく。反対に保守主義は、板挟みのなかに捕らえられていく。つまり左派からは憲法を後ろ盾にした国家主義という圧倒的な力によって攻撃を受け、そして「右派」からは、いずれも（主流派には）同化不可能なものでありながら、たいていの場合それぞれに両立することはない混乱した動向の数々によって突きあげを食らうことになる。そうしたなかにはたとえば、**自由放任《レッセ・フェール》主義**的な資本主義を擁護する（オーストリア学派リバタリアンの）多種多様な変種から、神学を背景にした社会伝統主義やウルトラ・ナショナリズム、あるいは白人のアイデンティティ・ポリティクスまでもが含まれている。

「右派」には団結がなく、実績も見通しもなく、つまりは左派と対称をなすような定義が存在しない。こうした理由をもとにして、（この表現はトートロジーになるが）政治的な弁証法はただ一つの方向へと進んでいくことになる。つまりそれは、予想されていたとおり次第に国力の拡大へと向かい、そして徐々に強制的なものと化していく実質的な平等という理想へと向かっていくことになる。結果として右派は中道へと横滑りし、中道が左派へと移っていく。

主流派の保守主義者たちがいつまでも幻想を抱きつづけるのをよそに、下層階級のアフリカ系アメリカ人をいまある社会秩序にたいする人間の姿をした批判として位置づけ、解放の尺度として、集団的な救いへといたる唯一の道として位置づけるなかで、アメリカという国の摂理としてのリベラルで進歩主義的な立場はいまや議論の余地のないものになり、いっさいの矛盾を吸収する人種的な弁証法によってその隅々まで統制されたものになった。結果として、歴史の理解可能性についてのオルタナティヴな構造は、たとえそれがどんなものであれ、政治的に見ても、あるいは——より厳密にいって——想像力のレヴェルでさえも、いっさい許容できないものであることになる。なぜなら、リベラルで進歩主義的な物語にたいして抵抗することは、その否定のなかで表現される象徴的な暴力をとおして、一つのシステムとしての人種にかんする抑圧の存在を容認する結果になり、ひいては、非アメリカ的であること、反社会的であること、そして（いうまでもなく）人種主義者であることを意味することになるからだ。言葉のうえではいくら否定しようと、それに反対する議論をした時点ですでに、社会的な遅れからくる善悪の区別のつかない暴力と同種の暴力をその議論そのもののなかで実演することになり、結果として自らが否定するものの正しさを証明してしまうことになるわけである。頭の鈍い「ひどい執着家たち[187]」が一丸となった社会を目指す再教育に抵抗を見せるとしても、いかにまだ多くの課題が残されているかを際立たせる結果にしかならない。

(187)［訳注］大統領選のさいのオバマの発言を踏まえた表現。PART 4d の訳注(209)を参照。

事態をまったく理解しない保守主義の無力

きわめて抽象的で包括的な性格をもつがゆえに、人種をめぐるリベラルで進歩主義的な弁証法は、できるかぎりの原理的な一貫性を追いもとめるなかでその外部を廃棄してしまう。それは人種など存在しないと主張し、そして――まったく同時に――、社会的に構築されたものである人種という擬似的な存在は、異なる人種間における暴力の媒介になるものなのだと主張する。人種を認識することは、義務的なものであると同時に禁止されてもいるわけだ。人種的アイデンティティは、社会の改善やヘイト・クライムの発見、間接差別の究明を目的として、微に入り細を穿って目録化され、「積極的差別」[188]や「積極的是正措置《アファーマティヴ・アクション》」、あるいは「多様性の推進」といったものの対象になる集団が決定されていく（そしてそうした用語が、いまだ未整理な来るべき秩序のなかに組みこまれていく）。だが一方で人種的アイデンティティはまた、（他でもなく合衆国そのものによって）無意味なものとして非難され、現実にまったく対応していない悪意に満ちたステレオタイプとして退けられることにもなる。人種にたいする感受性を極度に高めることと、それにたいする感受性を絶対的に低くすることが同時に要求されていく。人種はすべてであり無である。そこからの出口はどこにも存在しない。

保守主義はその定義からして弁証法的に無力なものであり、以上のような人種にかんする矛盾を、いいかえれば――彼らの的を外した定式化[189]のなかでいわれるところの――**リベラル派の認知的不協和**を、無残にも自分たちの好機として利用できると考えるほどに事態をなにも理解していない。そうした非一貫性を勝ち誇ったように指摘する保守主義者たちはおそらく、現代の人文学的なプログラムが生みだしているもののなかでなにが生みだされているのかを、一度も目にしたことがないのだろう。そのなかでは、たがいに両立することの不可能な苦情の数々によって、内部で対立する数多くの贖罪の試みが、いつ終わるともなく繰りかえされ、耳ざわりな苦情者たちの嘆きの声が約束するラディカルな進歩なるものが狂ったように言祝《ことほ》がれている。非一貫性は〈大聖堂《カテドラル》〉の燃料なのであり、激しい議論を要求し、よりいっそう強力な団結の実現を要求するものでしかない。**統合的で公的な討論は、かならず事態を左へと移行させていく**——この事実それ自体はことさらに把握しがたいものではないはずだが、主流派の保守主義にとってそれを理解することは、自らの根本的な無価値さをさらけだすことを意味している。したがってそんなことをしたところで彼らにと

(188)［訳注］人種や性別などを理由に不当な扱いを受ける集団にたいして便宜を図る施策。積極的是正措置《アファーマティヴ・アクション》と同義の言葉。

(189) https://www.johnderbyshire.com/Opinions/HumanSciences/racistelites.html［ダービーシャーの個人サイト内の記事「人種にかんするエリート主義的態度が向かう先」へのリンク。「多文化主義の失敗」と題されたシンポジウムでの講演原稿の再録であるこの記事のなかでダービーシャーは、心理学者リチャード・ハーンスタイン（Richard Herrnstein）と政治学者チャールズ・マレー（Charles Murray）の著作『釣鐘型曲線《ベル・カーヴ》——アメリカ社会における知能と階級の構造』から、植民地主義や人種隔離政策はもはや過去の遺物であるにもかかわらず、いまだに人種による社会・経済的な階層化が見られる以上、そこには人種による遺伝的な知能の違いがあるのであって、人種と知能の関連性を認めない社会構築的な立場を取りつづけるリベラル派のエリートたちは「認知的不協和」（たがいに矛盾する事実が認知されている状態）に陥っているといわざるをえず、両者の関連を無視することがかえって新たな人種差別を生む危険性をもつのだとする議論を肯定的に紹介し、なされるべきは「率直さと現実主義」をもって人種問題に臨むことなのだと述べている。しかしランドからすれば、こうした弁証法的な議論そのものが保守主義を敗者の位置に追いやるものに他ならず、だからこそそれは「的を外した定式化」だと断じられるわけである。なお、ハーンスタインとマレーによる同書については、後出の訳注(219)も参照。］

ってはほとんどなんの利益にもならない以上、この事実が理解されることは今後もないままにとどまるだろう。

保守主義者たちさえもがキングに寄りそう

保守主義には弁証法を機能させることができず、たがいに対立しあう主張を機能させることはできないが、とはいえ（見方を変えていえば）この事実はかならずしも、保守主義が進歩に奉仕することを妨げるものではない。非一貫性のもつ力を賛美するかわりにそれは、矛盾が生まれるたびごとにその力を弱めながらも、一定の間隔をおきつつ連続して、ちょうど化石が展示されるさいやゴシック建築の葉形装飾《フォイル》[190]のようなかたちで、よろめきながら進んでいくことになる。公民権運動時代のあいだじゅうずっと、「止まれ！」と叫びながら、歴史の流れに棹さして立ち[191]つづけた結果として、自分たちを未来永劫ずっと、人種問題にかんして罰されるべき者の立場へと追いやったすえに、保守主義者（と共和主義者）の主流派は、自分たちの聖典のなくてはならない一つとして、マーティン・ルーサー・キング・ジュニアにすがりつくことになる。こうして彼らは、「アメリカン・ドリームに深く根ざし」た[192]夢と調和することを求めて、来た道を逆進していった。

私には夢がある《アイ・ハヴァ・ドリーム》。いつの日かこの国は立ち上がりその信条、「これらの真理は自明の理である。すなわち万民は生まれながらにして平等に造られている」という信条に沿った国家になるのです。

私には夢がある。いつの日か、ジョージアの赤い丘で、元奴隷の息子と元奴隷所有者の息子が、兄弟愛の同じ食卓につくのです。

私には夢がある。いつの日か、不正と抑圧の熱で暑くうだる砂漠のミシシッピ州でさえ、自由と正義のオアシスに変貌するのです。

私には夢がある。私の四人の子供たちがいつの日か、肌の色ではなく、人格の中身によって判断される国家に住むようになるのです(193)。

憲法と聖書に依拠した伝統主義に訴えかけるキングに魅了され、彼が説く政治的暴力の拒絶や、なにものにも縛られない自由の賛歌に魅了されたアメリカの保守主義は、人種間の和解や、人種という区別の廃絶を説く彼の夢と自らを同一化していき、それを自分たちにとってもっとも神聖な言葉として受けいれ、それが意味するものこそが真実かつ神意にかなうものなのだと見なしていくこ

(190)［訳注］ゴシック建築の窓などに見られる装飾の様式。一定間隔で隆起しては収縮するかたちで、三つ葉文様《トレフォイル》や四つ葉文様《カトルフォイル》など、葉状の文様を描く。直前の化石の展示云々とあわせ、断続的に隆起と下降を繰りかえす保守主義の運動性のあり方を示唆するとともに、リベラルだけでなく保守主義もまた、（多くゴシック建築の代表例に挙げられるものである）〈大聖堂《カテドラル》〉の装飾として、その一部をなすものなのだという含意をもつ表現だろう。

(191)［訳注］一九五五年、『ナショナル・レヴュー』を創刊した編集者ウィリアム・バックリー・ジュニア（William Buckley Jr.）がその創刊号で保守主義の定義をするなかで述べた言葉からの引用。

(192) https://www.chicagotribune.com/news/nationworld/sns-mlk-ihaveadream-story.html［キングの一九六三年のスピーチ全文へのリンク。邦訳は『アメリカの黒人演説集――キング・マルコムX・モリスン他』荒このみ編訳、岩波文庫、二〇〇八年、二八一頁。］

(193)［訳注］前掲書、二八一―二八二頁。

とになる。不誠実の嫌疑を相殺するにはあまりにも遅すぎるかたちで立場を固め、当の黒人たちを納得させるのにほぼ完全に失敗し、その中身のない形式主義にたいする左派からの嘲笑の高まりに身をさらしつづけたままであるにもかかわらず、少なくともそうした立場が、主流派で公的な保守の正統教義になった。

　アメリカという国がもつ信条をあらためて言明するキングの説得力は凄まじいもので、遡行的に見た場合、それが政治的な主流派を征服していったことは端的にいって不可避だったとおもわれるほどである。多くのアメリカの保守たちが、その創始者たちのもっていたフリーメイソン的な合理主義を後にして、聖書にもとづく敬虔さへと向かっていけばいくほどに、彼らの信仰は――束縛からの解放をその歴史の基本的な枠組みとして、『出エジプト記』の記述にもとづいて神話的に表現される――アメリカ黒人の経験とますます見分けのつかないものになっていき、たとえば次のような未来を描くものになっていった。「神の子みなが、黒人の男も白人の男も、ユダヤ人も非ユダヤ人も、プロテスタントもカトリックも、一緒に手をつなぎ、馴染みの黒人霊歌の言葉をうたい上げるのです。「とうとう自由に《フリー・アット・ラースト》！　とうとう自由に。神よ、ありがたいことだ、神よ、われわれはとうとう自由だ！」[194]と」。

二重に敗北していく保守主義

　キングのメッセージがもつ非凡さは、その並外れた統合力にある。エジプトからのヘブライ人たちの逃避、アメリカ独立戦争、南北戦争の結果としての奴隷制の廃絶、そして公民権運動期に見られた夢。こうしたものがみな、神話的なかたちでただ一つの原型的なエピソードのなかに凝縮され、保守たちの掲げる〈アメリカの信条〉と完璧に調和して、逆らいがたいその道徳的な力によってだけでなく、同時にまた神の意志によってさらに先へ駆動されていった。とはいえ、そうした統合の力がもつ非凡さの真価は、それが従えている複雑さにこそある。奴隷制からの解放という「喜びに満ちた夜明け」から一世紀ののちに、キングは宣言することになる、「黒人には自由がない」と。

　百年後、黒人の人生は、いまだに人種差別の手枷足枷によって歪められ、鎖に縛りつけられています。百年後、黒人は物質的繁栄の大洋の只中で、貧困の孤島に暮らしています。百年後、黒人はアメリカ社会の隅っこで惨めな人生を送り、自分の国で亡命者になっています(195)。

『出エジプト記』の物語は出口《イグジット》を目指すものであり、独立戦争も出口《イグジット》を目指すものである。また奴隷制からの解放も、とりわけそれが〈地下鉄道(196)〉のように、自らの手による自分たち自身の解放というモデルや、逃走や逃避といったモデルによって例示される場合、出口《イグジット》を目指すものだといえる。だが以上とは対照的に、人種差別によって「手枷足枷」を嵌められ、「鎖に縛りつけられ」、「貧困の孤島」に追いこまれて、「自分の国で亡命者」の地位に置かれることは、どこからどう見て

(194)〔訳注〕前掲書、二八四頁。
(195)〔訳注〕前掲書、二七七頁。
(196)〔訳注〕一九世紀のアメリカで黒人奴隷の逃亡を幇助した市民による秘密組織の名称。

も出口《イグジット》とはなんの関係もなく、人を丸めこむ隠喩によってどうにかできるレヴェルを超えている。社会的な統合や承認、公平に配分された財産、あるいは地域への参加や同化といったものへとたどりつくような出口《イグジット》はそこには存在せず、事態のなりゆきや運命にその成功が委ねられた願望や理想のたぐいが存在しているだけなのだ。左派や反動的な右派はすぐに気づいていたことだが、それが形式的な平等の権利をはっきりと超え、物質的で政治的な改善策の領域へと進んでいくかぎりで、キングの夢は右派にはなんの権利もないものなのである。

弁証法に追いやられた右派たちの袋小路、〈クラッカー・ファクトリー〉

ジョン・ダービーシャーの事件が起きた直後、ジェシカ・ヴァレンティ［Jessica Valenti：ブロガー、作家］は『ネイションン』誌のブログにおいて、以上のような論点を明確化している。(197)

（……）たんに誰がなにを書いたかということではない――問題は、保守に典型的に見られる意図的に人種主義的な政策にかかわるものだ。ある種の者たちは人種主義を、すぐに突きとめられるような、あからさまではっきりと声に出していわれる差別やヘイトのことだと考えようとするが、問題はそれだけには留まらない――人種主義とは同時に、外来者嫌悪《ゼノフォビア》的な政策を押しすめ、体系的な不平等を支持することでもある。ようするに、いったいどちらがより衝撃的なことだといえるのかという話なのだ――ダービーシャーのようなただ一人の人種主義者か、それともアリゾナの移民法(198)か。あるいは一本のコラムか、組織的な投票妨害か。一つの出版物から一人の人種主義者を追いはらったところで、保守たちの掲げる議題が一方的に有色人種を処罰し差別するものであるという事実が変わるわけではない。だから、どうか聞いてほしい――構造的な不平等を支持するようなことがあってはならない。それをやめたときにはじめて人は、自分はどこからどう見ても人種主義者ではないと胸をはっていえるようになるのだ。

人種主義の罪から逃れようとして「保守たちの掲げる議題」は、（期待をもってであれ無意識的にであれ）これ以上ないほどに空想的なものである――だがこのことは、人種にかんする弁証法の機能に本来的に備わった特徴なのだといえる。一般に資本主義の発展と両立可能なものであり、時間選好率が低い者たちに報いる傾向をもち、そしてだからこそ場当たり的な処罰をおこなおうとするものである保守の政策が、経済機能の点で最小の働きしかしない社会集団にたいして間接差別的な効果を及ぼすだろうことは、あらためていうまでもないことである。それを踏まえ、人種にかんする弁証法的な議論は当然、こうした間接差別的な効果に備わった人種主義的な側面は、（人的資本が人種主義的なかたちで形成されてしまうきっかけを断罪するために）強く強調されるべきものであり、また強調されなくてはならないのだと主張し、同時にまたそれは、（人種主義的なステレオタイ

---

(197) https://www.thenation.com/article/who-cares-about-john-derbyshire/［ヴァレンティによる『ネイション』誌の記事「問題はダービーシャーだけではない――ただ一人の差別主義者を解雇しても保守主義の政策は変わらない」へのリンク。］

(198)［訳注］二〇一〇年、不法移民の取り締まり強化を目的にアリゾナ州が制定した移民法を指す。不法移民の疑いがある者が罪を犯した場合は令状なしで逮捕することができるなどの内容をもつものだったため、人種差別に繋がるとして批判された。二〇一二年には連邦最高裁により大半の条項が憲法違反と判断される。

プ化と**まったく同じことをやっている**のだとしてそれを糾弾していくために）かならず否定されるべきものであり、また否定されなくてはならないのだと主張していくことになる。だが保守主義者たちが、当意即妙かつ洗練された政治性をもってこうしたダブルバインドをうまく処理することを期待するのだとしたら、二〇世紀後半という時代がもつ意味を間違いなく捉えそこねることになる。例えば、~~絶望的な負け犬の馬鹿どもは~~『ワシントン・エグザミナー』の保守主義者たちは、驚きとともに次のように指摘している[199]。

> 下院民主党議員たちは今週、政府公約の正当性を強調するため、人種問題にどのように取りくむかという点についての訓練を受けた。（……）火曜日の下院民主党幹部会での発表のために準備された内容が示唆するところによれば、どうやら民主党員たちは、中立的な自由市場をめぐる議論を、意識的にであれ無意識的にであれ、人種主義的なバイアスがかかったものと見なそうとしているようである。

団結することがオルタナティヴにたいするオルタナティヴである以上、これまで以上に完璧な団結にたいするオルタナティヴなど存在しない。かつてオルタナティヴなものが見いだされていたはずの場所を探しもとめ、自由がいまだ出口《イグジット》を意味し、弁証法が雲散する地点を探しもとめたすえに保守主義が辿りついたのは、大聖堂《カテドラル》の影として、あるいはそのなくてはならないパートナーとして作りだされた、おぞましい化け物小屋のような場所だった。したがって右派は、一度たりとも自分たち自身の団結を手にしたことはないことになる。それは与えられたものだったのだ。与えられたその団結をここでは、〈クラッカー・ファクトリー〉(200)と呼んでおこう。

---

(199) http://campaign2012.washingtonexaminer.com/blogs/beltway-confidential/house-dems-trained-make-race-issue/537146［保守派の論説誌『ワシントン・エグザミナー』ウェブ版に掲載された、ジャーナリストのジョエル・ゲールケ（Joel Gehrke）による記事「人種問題解決へ向けた下院民主党員の訓練」へのリンク。なおこの記事は、現在では削除されている。］

(200)［訳注］Cracker Factory：この表現は、“cracker”という語の多義性を最大限に利用したものであり、また次パートにかけてランドは、それが意味しているものを、右派たちが余儀なくされている地位というネガティヴなものから、来るべき社会や歴史の基底をなす積極的な力へと読みかえていくことになるため、意味を限定するような訳語を当てることが困難であり、また避けるべきところでもある。“cracker”という語はさしあたりここで、少なくとも次の三つの意味で使われている。(1)まずそれが黒人英語として用いられるさいの「人種差別主義者《クラッカー》」という意味。白人以外にアピールしない政策しか掲げることのできない右派たちは、「人種差別主義者《クラッカー》」であることを余儀なくされる。したがって右派という立場は、「人種差別主義者の収容所《クラッカー・ファクトリー》」なのだというわけである。(2)そして出口のないその場所は同時に、狂気にも接するホワイト・ナショナリストたちを生みだしていく「製造所《ファクトリー》」として、（俗語の慣用表現としていわれるとおり）「精神病院《クラッカー・ファクトリー》」でもある。(3)さらにまたこの“cracker”という語は、語それ自体がもつ歴史的・地政学的意味として、進歩に取りのこされた〈遅れた〉者というニュアンスを含みつつ、「南部の貧しい白人」という特定の人々にたいする蔑称としての意味をもつものでもある。したがって右派という立場は、「貧乏白人の温床《クラッカー・ファクトリー》」なのだともいわれているわけである。以上の要素を踏まえあえて日本語にするとしたら、「差別的で頭のおかしい貧乏白人の吹きだまり《クラッカー・ファクトリー》」とでも訳せるだろうか。ともあれ、すでに触れたとおりランドはこれ以降、（“cracker”という語にさらにいくつかの意味を重ねあわせることによって）この表現がもつ否定的な意味をより積極的なものへと読みかえていくことになるため、ここではあえて訳語を特定せず、カタカナによる音写を当てておくこととする。

人種にかんする弁証法は目下、分離や逃走を禁じようとしている

ジェームズ・C・ベネット［James C. Bennett：実業家、リバタリアン］がその著書『英語圏の挑戦』において、英語圏の主な文化的特徴を特定しようと試みたさい、結果としてあきらかになったその特徴のリスト[201]は、大筋においてそれぞれに似かよったものだった。言語それ自体を別にすればそこには、慣習法の伝統や個人主義、比較的高いレヴェルにある経済的・技術的な開放性、そして中央集権的な政治権力についての明確で断固とした留保などが含まれていた。だがおそらく、そうした特徴のなかでももっとも衝撃的だったのは、統合された領土内部での革命的な改革の代わりに、領土的な分裂や分離主義、あるいは独立や移動を選択することによって、意見の相違を時間ではなく空間のなかで処理する文化的な傾向だろう。英語圏の人間たちのあいだで意見の不一致が生じた場合、おうおうにして彼らは、空間のなかで関係を絶とうとする。完全な解決（すなわち体制の変化）の代わりに方針を増殖させ、権力を制限して、統治のシステムを多様化しながら（つまり体制の分割をとおして）、いくつもの不決断状態を追求するわけである。かなり希薄な形式のなかでではあるが、社会的な意見の相違に対峙するさいのそうした反弁証法的で反総合的な傾向は、グローバルな政治プロジェクトにたいする確固としてやむことのない敵意や、（細胞分裂の過程で見られるのと同じように）退化しつつもその痕跡を留める封建主義にたいする関心といったかたちをとって現在でも確認される。

　分裂や逃走は、それ自体ですべて出口《イグジット》となるものであり、そして（取りかえしのつかないかたちで）反弁証法的な性質をもつものである。英語圏の伝統の内部においては、そうしたことこそが基本的な自由の源泉なのだ。したがって〈クラッカー・ファクトリー〉の機能があらゆる出口《イグジット》を塞

いでしまうことだとすれば、次にそれが作りだされる場所はただ一つ――分裂や逃走が見られる地点以外に他ならない。

地獄や、あるいはアウシュヴィッツと同様、[202]〈クラッカー・ファクトリー〉の入口の上には、シンプルなスローガンが掲げられている。すなわちそれは、**逃げ出すことは人種主義的である**《エスケイプ・イズ・レイシスト》というものだ。だからこそ――このスローガンとまったく同じことが問題になっている――「白人たちの逃避《ホワイト・フライト》」という表現がもつ政治的な不正さ《ポリティカル・インコレクトネス》は、異なる状況でそんなことがおこなわれるとしたら間違いなく激しい怒りの発作を生むような特定の民族にたいする統計学的な一般化にもとづくものであるにもかかわらず、一度たりとも非難されることがないままなのである。時間選好率の低さがそうでないのと同様、「白人たちの逃避《ホワイト・フライト》」も「白人《ホワイト》」に固有の現象ではないわけだが、そうした大雑把な無神経さは許容可能なものと見なされている。というのもそれこそが、構造的なかたちで〈クラッカー・ファクトリー〉を支えているものであり、古くからある自由（つまりはたんに現状にたいする否定を表現する自由）と（人種にかんする）原罪の欠くことのできない混同を支えているものだからだ。

断固として、かならず次のサイト[203]を見なくてはならない……そうすればきっと、間違いなく……

(201)［訳注］不文法の一種で、なんらかの共同体に存在する慣行のうち、とくに法的な拘束力をもつと見なされるもの。

(202)［訳注］ダンテ『神曲』によれば、地獄の門には「この門をくぐる者はいっさいの希望を捨てよ」と書かれている。またアウシュヴィッツをはじめとしたナチス強制収容所の門には、「働けば自由になる《アルバイト・マハト・フライ》」というスローガンが掲げられていた。

（以下、次項に続く）。

（203）http://www.splcenter.org/get-informed/intelligence-files/groups/league-of-the-south［南部諸州の分離を目指す政治団体である南部同盟（League of the South）の実態を紹介する、左派ＮＰＯ南部貧困法律センター（Southern Poverty Law Center：SPLC）のサイトに掲載された記事「南部連合」へのリンク。この記事は南部連合の動きに応じて随時加筆されて更新されており、リンクのＵＲＬにアクセスすると最新版のページに自動転送される。このパート公開時の状態を閲覧する場合、ウェイバックマシンで二〇一二年四月五日のキャッシュを参照のこと。］

奇妙な結婚

204

PART 4d

〈大聖堂《カテドラル》〉の統治のもとで、右派たちは目下、〈クラッカー・ファクトリー〉という「おぞましい化け物小屋のような場所」に追いやられているのだった。

だがそこに存在しているのはかならずしも、惨めな敗者たちだけではないのだとランドはいう。「クラッカー」という言葉がもつ多義性に注目し、「貧乏白人《クラッカー》」と呼ばれる南部諸州の人々の習慣《エートス》のなかに生来の分離主義的な傾向を指摘する彼は、人間の生物学的多様性説支持者のブロガーhbdchickの仮説にもとづき、その理由を伝統的な婚姻体系の違いに求めていく。「貧乏白人《クラッカー》」たちは、近代の担い手であり〈大聖堂《カテドラル》〉の信奉者たちの祖先である人間たちとは、そもそもまったく異なる生物文化に属しているのだというわけだ。

以上を踏まえてランドは、〈クラッカー・ファクトリー〉のなかで確認されるいくつかのデータから、一つの仮説的なテーゼを示していく。一見すれば奇妙で、怪物的ともいえるそのテーゼとはすなわち、終わりゆく近代に代わり、来るべき新たな勢力となるのは、「貧乏白人《クラッカー》化されたリバタリアニズム」、つまり分離主義的な習慣《エートス》を備えたリバタリアニズムなのだというものである。

貧乏白人《クラッカー》たちの分離主義的な習慣《エートス》

特定の民族にたいする嘲笑の言葉としての「貧乏白人《クラッカー》」(205)の語源は、漠然として不明瞭なままにとどまる。おそらくこの言葉は、「トウモロコシ挽き《コーン・クラッカー》」という表現や、スコットランド系アイルランド人のあいだで用いられていた「たわごと《クラック》」（冗談ほどの意味）から派生したもので、一八世紀中頃にはすでに、一度は優勢を誇ったケルト人を先祖にもつ南部の貧しい白人たちにたいする嘲りの言葉として流通していた。避けがたく人種や文化や階級に関連する複雑な性格を喚起するこの言葉がもつ意味論的に豊かな外観は、その黒い肌の親戚(206)にたいする口には出せない言葉――いわゆるNワード(207)――に匹敵するものであり、後者の場合と同様、誰もが認めていながら同時に禁じられてもいる真実という泉から生じている。なかでもとくに強調されるべきは、それが**公には認めがたい公理**に根拠を与えるものになっているということだ。その公理とはすなわち、民衆というものは、自分たちの非同質性に「ひどく執着し(208)」――あるいは少なくともそれを手放さず――、啓蒙的な人口集

(204)［訳注］二〇一二年六月一五日更新。

(205)［訳注］訳注（200）で指摘したとおり、"cracker"は、いずれも俗語として「人種差別主義者」や「精神病者」といった意味をもつとともに、ここでいわれているとおりそれが「特定の民族にたいする嘲笑の言葉」として用いられる場合、進歩に取り残された〈遅れた〉者というニュアンスを含みつつ、「南部の貧しい白人」を意味することにもなる。以降、このパートで取りあげられる後者の意味での"cracker"という語には、「貧乏白人《クラッカー》」という訳語を当てることとする。

(206)［訳注］生物学者トマス・ハクスリーがダーウィンの進化論を解説するなかで、黒人を指して用いた表現。しばしば優生学の論拠とされた。ここではとくに、この言葉を引くドーキンスを論じたモールドバグの議論をあらためて喚起するために用いられているのだろう。PART 2後半の議論を参照。

団の管理が前提にする普遍的なカテゴリーにたいしてかたくなに抵抗するものであり、自分たちの共通点よりもむしろその差異に反応し、それによって突き動かされるものなのだというものである。(210) 貧乏白人《クラッカー》とはつまり、進歩という歯車を軋ませる砂塵(211)なのである。

しかしこの中傷の言葉がもつなによりも愉快な特徴は、まったくの偶然から（あるいはカバラ(212)的に）生みだされている。一方で「クラッカー(213)」とは、暗号《コード》や金庫や有機的な科学薬品を――いいかえれば閉ざされ、結合された状態にあるあらゆる種類のシステムを――破壊する者のことでもあるのだ。結果としてそこには、意図せざる地政学的な意味が生まれている。クラッカーたちは、英語圏の歴史にずっと流れつづけてきたバラバラになることを志向する呪われた底流と自分たちとの繋がりを裏づけるかたちで、やがてくる**崩壊**《クラック・アップ》や分裂や分離を先取りしているわけである。したがって――言語学上の飛躍や欠陥にもかかわらず――、たえず取り締まりをかいくぐりつづけるクラッカーというあり方が、連邦《ユニオン》という一見して自明な運命にいまも激しく抗いつづける南部諸州の人々を喚起するとしても、なんら驚くべきことではないのだといえる。そしてこうした一致の結果として連邦《ユニオン》という言葉は、否応なく、その言葉がもつもっとも多義的な深み(214)のなかへと連れもどされることになる。

矛盾は解決を要求するものだが、**亀裂**《クラック》はその大きさや深さを増しつづけ、広がりつづけていく傾向にある。貧乏白人《クラッカー》たちの習慣《エートス》によるなら、たとえなにかが崩壊しかねないとしても――それでなんの問題もないわけだ。分裂の可能性があったとしても、意見の一致へといたる必要はない。こうした**呪われた性格**のもっとも極端な例は、アパラチア山脈南端の地域に見られるバラックや錆びついたトレーラーのなかで暮らすヒルビリー(215)のステレオタイプのなかに確認される。そういった場所では、あらゆる経済的な取引が現金で（あるいは密造ウイスキー《ムーンシャイン》で）まかなわれ、行政職員とのやりとりは実弾の込められたショットガンの銃身を前にしておこなわれる。時勢の彼方にあるこうした

---

(207) http://www.slate.com/articles/arts/music_box/2012/06/gwyneth_paltrow_and_niggas_in_paris_is_it_ever_ok_for_white_people_to_use_the_word_.html［ライターのジョナ・ワイナー（Jonah Weiner）による『スレート』誌の記事「習慣のなかの「ニガーたち」」へのリンク。白人の女優グウィネス・パルトロー（Gwyneth Paltrow）がツイッターで、白人が黒人にたいしていうことがタブー視されている「ニガー」（nigga）という言葉を（一部を伏せ字にしつつ、しかしすぐにそれと分かるかたちで）使い、人種差別的であるとして炎上した件をきっかけに、その言葉が社会的にもってきた意味の変遷が検討される。］

(208) http://glpiggy.net/2012/06/12/it-wont-stop/［リンク切れのうえ、ウェイバックマシン上からも削除されているため、閲覧することができなかった。］

(209)［訳注］二〇〇八年の大統領選のさいの演説の一つのなかで述べられた、〈田舎の人間たちは、構造的な貧困から銃や宗教に「ひどく」「執着している」〉という由のオバマの発言を示唆する表現。差別的であるとして保守派からの非難を生んだ。

(210)［訳注］「貧乏白人《クラッカー》」という言葉が、ここでいわれるような「公には認めがたい公理」の根拠となるとされているのは、この語のより一般的な意味、つまり木の実や穀物などのまとまりのある一つの全体を「砕く」こと、ないしガラスなどの均質な表面に「ひびを入れる」ことを意味する動詞“crack”をおこなう者という意味を踏まえてのことだと考えられる。“cracker”という語そのものにあらためて注意を向け、「貧乏白人《クラッカー》」という個別的な意味に、「砕く者」、ないし「ひびを入れる者」というより一般的な意味を重ねあわせるこうした操作によってランドは、（「人種差別主義者」や「精神病者」と意味の上で並列となるような）蔑称としての「貧乏白人《クラッカー》」に、より積極的な意味を、つまり「進歩という歯車を軋ませる砂塵」としての意味を担わせていくわけである。訳注(200)で触れたとおりだが、こうした操作的な読みかえは、このパートをつうじて、右派に与えられた連帯としての〈クラッカー・ファクトリー〉そのものにも及んでいくことになる。

反政治的な知恵は、〈私を踏みつけるな〉《ドント・トレド・オン・ミー》[216]を翻案したような、「私にかまうな」《ゲット・オフ・マイ・ポーチ》[217]という表現のなかに要約されている。いうまでもなく、イギリスを中心とするグローバルな歴史の主流派――つまりニュー・イングランドの福音派ピューリタニズム――のなかでは、統合を目指す議論にたいする（いいかえれば弁証法にたいする）そうした彼らの軽蔑は、文化的な洗練を欠くだけではなく、基本的な知性をも欠いたふるまいを意味するものとしてコード化されている。貧乏白人《クラッカー》たちの手に負えなさを前にすると、社会構築主義的な公正さを金科玉条として信奉する者でさえもが、あっというまに躊躇なく遺伝論を支持する計量心理学的な立場へと逆戻りしていくことになる。一般的にいって社会や政治は進歩している傾向にあるのだということを、シンプルで議論の余地がない事実だと見なしている者たちにとって、そうしたことをまったく認めることのない貧乏白人《クラッカー》たちの拒絶は、発達の遅れを示すあきらかな証拠だと見なされることになるのだ。

同系交配と異系交配――交配システムの違いとその文化的な帰結

じっさい、ステレオタイプというものが一般に統計学上の高い真理値をもつものであることを考えれば、貧乏白人《クラッカー》たちの多くが、世代の継起という劣化を引きおこす遺伝をもたらす圧力によって、白人のＩＱを図示した釣鐘型曲線《ベル・カーヴ》[218]の左側に散らばって確認されることは、十分にありえそうな話である。チャールズ・マレー［Charles Murray：政治学者、リバタリアン］が論じているように[219]、もしアメリカ社会内部の実力主義的な淘汰がこのままずっと機能しつづけ、同類交配[220]に後押しされるかたちで階級的な差異を遺伝的なカーストへと転じていくのだとしたら、貧乏白人《クラッカー》たちによってかたちづくられる層が認知能力の目立った向上を示すようなことは、今後もまずありえないことになる。しかしここまで考えてきたところで、このままひきつづきステレオタイプというものを前提にして考えていくかぎりで、扱いづらいが魅力的な、ある問題が生じてくる。その問題とはつま

---

(211)［訳注］grit：語源的に「小さな石」を意味するこの言葉は、俗語として「（アメリカの）南部人」を意味するものでもある。また同じ語源から派生した言葉として、「（トウモロコシなどの）粗く挽いた（＝砕いた：cracked）穀物」を意味する“grits”という語もある。いずれにせよ、そこに等質的な全体には回収されきらない断片という含意が読まれることが重要である。

(212)［訳注］ユダヤ教の伝統から派生した神秘主義思想。独自の宇宙観などその体系は多岐にわたるが、この文脈で念頭に置かれているのは、語義にとらわれない能動的な読解をおこなうなかで、偶然の一致に積極的な意味を見いだしていく独特な文献解釈法（いわゆる「数秘術」）だろう。

(213)［訳注］cracker：犯罪的で悪意あるハッカーの通称。セキュリティを破って（つまりそれにひび《クラック》を入れて）コンピューター・ネットワークに不法侵入し、プログラムの破壊や情報の盗用をおこなう者。

(214)［訳注］語頭を大文字にした“Union”という言葉は、字義どおりには「連邦」を意味し、ひいてはその結果である「合衆国」を示唆する。だがそれが、（本文で後述されるような）その分離主義的な習慣《エートス》のなかに、いまだ南北戦争の記憶をとどめる「貧乏白人《クラッカー》」たちと同じ文脈で用いられる場合、南北戦争時の「北軍」という意味が暗示されることになる。さらにそこへ、セキュリティを破る犯罪者としての「クラッカー」という意味が加わるとき、“Union”という言葉は、相互に「結合」していること一般を暗示することにもなるだろう。また、以上のような“Union”という語の多義的な奥行きのなかには当然、オバマが大統領選のさいに述べた表現である「これまで以上に完璧な団結」（ever more perfect union）も含まれ、ひいては、その参照先である合衆国憲法も含まれるといえるはずである。

(215)［訳注］hillbilly：アパラチア山脈の南部に位置する地域の白人たちにたいする蔑称で、「貧乏な田舎者」ほどの意味。リベラルな側からの表象としては、進歩に取り残された〈遅れた〉者たちとして、あるいは、すぐにポピュリズム的な政策に感応する反知性主義的な層として描かれる。

り、同類交配とはいったいどういうことなのかというものである。まさか貧乏白人《クラッカー》たちがみな自分のいとこと結婚しているわけでもないだろうに、どうすればそんなことが可能だというのだろうか。だがしかし、**そのとおりのことがじっさいにおこなわれているのだ。**北西のヘイナル線[221][222][223]を越えた場所に暮らすグループが元になっているものであるため、伝統的な貧乏白人《クラッカー》たちの親族パターンは、イギリス的な（ひいてはワスプ的な）族外結婚の規範にはあきらかに当てはまらないものになっているのだ。

休むことなく更新を続けている「hbdchick」[224]は、この件についての決定的な情報元となる。真に記念碑的なものといえる一連のブログ投稿[225]をとおして彼女は、［ウィリアム・ドナルド・］ハミルトン[226]［William Donald Hamilton：進化生物学者］が提示した概念をもとにして自然と文化が交差する境界領域を精査している。そのなかにはたとえば、親族構造の違いや、包括適応度[227]の計算のさいに必要となる個体間の差異の識別、利他的行動にかんする進化心理学の分析対象である事後的に生じる民族間の弁別的特徴などが含まれる。ことに彼女が注意を向けているのは、――いとこ婚の厳格な禁止によって――強制的な族外結婚が一六〇〇年間にわたって優位でありつづけた（北西）ヨーロッパの歴史の異常性にたいしてである。彼女が説得的なかたちで示唆するところによれば、異系交配[228]を志向するこうした独特な態度は、この地域に見られる生物文化[229]上のさまざまな特殊性を説明するものとなっている。そのなかでも歴史的に見てもっとも意義深いのは、それらの地域では、（家族という範囲を超えた）相互的な利他的行動が他の地域に抜きんでて目立っている点である。この点はたとえば、明確な個人主義[230]や核家族、（親族関係から自由な）「法人」制度との親和性や高度に発展した第三者どうしの契約体系、身内びいきや汚職が相対的に低いレヴェルにあること、部族的な絆から独立した社会的繋がりという形式が優位にあることなどによって徴候的に示されている。

(216)［訳注］don't tread on me：愛国心《パトリオティズム》の誇示のために民間で用いられる「ガズデン旗」（黄色地にとぐろを巻くガラガラヘビが描かれたもの）に添えられるスローガン。独立戦争時に軍人のクリストファー・ガズデン（Christopher Gadsden）がデザインした旗に由来するもので、同じスローガンはごく最近までアメリカ海軍旗にも使われていた。そうした出自や用例のため、多分に多義的な旗だが、一般には州の自治の自由を顕揚する目的で掲げられ、また近年では、国家主義にたいする抵抗のシンボルとしてティー・パーティー運動のなかでも用いられたほか、同じ理由でリバタリアンのあいだでも好まれる。

(217)［訳注］get off my porch：こちらを支配するために向かってくるような相手にたいする攻撃的な牽制としていわれる慣用表現。字義どおりには「うちの屋根つき玄関《ポーチ》から出ていけ」となり、建物から張りだしたひさしつきの入口を意味する屋根つき玄関《ポーチ》が多く見られるアメリカ南部地域から生じた表現とされる。ようするにランドはここで、この表現が、さまざまな面での統合を拒む貧乏白人《クラッカー》の境界意識のあらわれなのだといっているわけだろう。

(218)［訳注］統計学の用語で、データの分布をグラフ化したさいの類型の一つである正規分布（normal distribution）の通称。平均値を頂点とし、平均から離れるにつれて緩やかに低くなっていく左右対称の釣鐘型をした曲線を指す。したがってその左側にいけばいくほど、平均をより大きく下回った数値であることになる。

(219)［訳注］マレーは、心理学者リチャード・ハーンスタインとの共著『釣鐘型曲線《ベル・カーヴ》――アメリカにおける知能と階級の構造』（*The Bell Curve: Intelligence and Class Structure in American Life*, Free Press, 1994.）のなかで、統計学的なデータをもとにして、ＩＱと社会・経済的な地位は正比例の関係にあるとし、現在の固定化された社会構造の結果として、同じ知能に属す人間同士が子孫を残すこと（すなわち遺伝学的な「同類交配」）が繰りかえされるなかで、知能の別による社会的・経済的な階層化が生じてしまっているのだと指摘している。なお同書は、そうした議論のなかで〈諸説あることを認め、あくまで統計学的にはと断りつつ〉〈黒人のＩＱは白人のそれよりも低い〉と述べ、人種差別を助長するものとして大きな批判を呼んだ。

反対に同系交配[231]は、部族を単位とする集産主義や、家族の財産や名誉をそのまま拡張したかたちで形成されるシステム、あるいは直接の関係をもたない者が運営する人間味を欠いた制度にたいする不信といった、――全体として――「氏族的」な特徴に適した選択的環境を生みだしている。こうした特徴は、近代を領導する（ヨーロッパ中心主義的な）価値観と齟齬をきたすものであり、結果としてそれは、未開状態にある「外来者嫌悪《ゼノフォビア》」や「汚職」だとして非難されることにもなる。氏族的な価値観というものは、いうまでもなく氏族集団のなかで発生するものだが、そうした集団が居住するイギリスのケルト外辺やその周縁のような場所では、いとこ婚が根強く残存し、結果としてそれに関連した社会や経済や文化の形式もまた残りつづけた。そうした形式のなかでもとくに顕著なものとしては、（農耕よりも）牧畜が盛んであることや、復讐《ヴェンデッタ》[232]の応酬という形式をとった極端な暴力[233]へと向かう性向などが挙げられる。

「白人のアイデンティティ」の現実的な虚弱性

以上の分析は、「白人のアイデンティティ」にかんするきわめて重要な逆説を提示することになる。というのも、部族主義から遠ざかり、相互的な利他的行動へと向かっていくことで近代の道徳的秩序を構成したヨーロッパがもつ、その際立った民族的特徴は、本来的に自民族中心主義的な連帯を蝕んでいくものである異系交配に特有の伝統と分離できないものであることになるからだ。換言すれば次のようにいえる。ある集団を民族的に近代的なものにし、（家族を基礎にしたものではなく）「法人的な」制度的構築物にふさわしいものにして、ゆえにこそそれを、近代という力学のなかで客観的に特権をもつものにし、ようするに恵まれたものにしているのは、ほぼまったく効力をもたない民族的な集団形成作用なのである。

（220）［訳注］assortative mating：遺伝によって子孫に伝わる性質を意味する遺伝形質のうち、特定のものが優れていたり劣っていたりする個体同士が頻繁に交配する傾向を指す遺伝学の用語。
（221）［訳注］Hajnal Line：人口統計学者のジョン・ヘイナル（John Hajnal）が、一九六五年の論文のなかで、統計にもとづいた地域による結婚の様式やその傾向にかんする違いを図示するため、ヨーロッパの地図上に引いたおおよそ五つからなる線。ロシア西端に位置するサンクトペテルブルクとイタリア半島付け根の東側に位置するトリエステを縦に結ぶ東の線を基本として、北東はフィンランドを避けるように、北西はアイルランド島とグレートブリテン島を分けるように線が引かれ、南西はイベリア半島を、南東はイタリア半島を横に二分するかたちで線が引かれる。この線の内側に位置する地域（グレートブリテン島と、イベリア半島・イタリア半島の北部を含む、西ヨーロッパ諸国）は、歴史的に結婚率が低く晩婚であるとされ、反対にその外側の地域は、早婚が支配的であるとされる。一般的には地域による文化の違いを仮説的に説明するさいの論拠として援用される程度にとどまるものだが、直後につづくリンクにも読まれるとおり、ＨＢＤの支持者たちはとくにこの線を重視し、ＩＱや政治体制の違いなど、そこにさまざまなものを読みこみながら、ある種の比較文明論を展開していく。
（222）https://hbdchick.wordpress.com/2012/02/06/medieval-manoralism-and-the-hajnal-line/［後出のブロガーhbdchick による記事「中世荘園制度とヘイナル線」へのリンク。中世ヨーロッパにおける荘園制度の広がりとヘイナル線の類似を踏まえ、荘園制度の発達が、（ヘイナル線内部に位置する）西ヨーロッパの氏族的な伝統を解体し、その晩婚化を促したのではないかという仮説を立てる。］
（223）http://jayman.blog.com/2012/06/14/more-on-farming-and-inheritance-systems-part-i-iq/［ＨＢＤを支持するブロガー「ジェイマン」（Jayman）による「ジェイマンズ・ブログ」（Jayman's Blog）の記事「農業と遺伝のシステムにかんする追記その１――ＩＱ」へのリンク。直前のリンクでの hbdchick の議論を踏まえつつ、結婚の様式や生産システムだけでなく、気候の差などにも触れながら、地域別のＩＱの違いの要因が検討される。なおこのブログは、現在では別のＵＲＬで運営されている。アーカイヴされた同じ記事のＵＲＬは次のとおり。https://jaymans.wordpress.com/2012/06/14/more-on-farming-and-inheritance-systems-part-i-iq/］

こうした逆説は、かつてのナチズムや現在のネオ・ナチをその典型とするような、ヨーロッパの自民族中心主義的な復興運動のラディカルな形式のなかに、その支持者と敵対者双方の混乱を招きつつ余すことなく表現されている。例外的に発展した［異系交配という］「人種にたいする背信行為」が、自らが属する人種の典型的な特徴である場合、自民族至上主義的な政治を実行可能なかたちでおこなう前提は――間違いなく広範にわたる厄介ごとの種を撒きちらすことにはなるにしろ――論理の深淵のなかへと消えさっていくことになる。誰もが認めるとおり、ナチはその定義上、人種的な純潔という祭壇に近代性を生贄として捧げることをいとわないもの（であり、むしろしきりにそれを捧げようとするもの）である。だが彼らは、そこから必然的に生じる結果――つまり近代の外に置かれてしまうこと（そしてけっきょくは敗北すること）――を理解しているわけでもなければ、それを悲劇として受けいれているわけでもない。左派の立場からしか機能しないという本質的に寄生的な性格をもつものであるがゆえに、それに特有の動かしがたい事実として、アイデンティティ・ポリティクスとは敗者のためのものなのである。近代的な権力が同系交配を体系的に禁忌と見なす以上、人種にかんする**超人《ウーバーメンシェン》たち**[234]が現実的な意味をもつことはありえない。

ナチはいつまでも貧乏白人《クラッカー》たちを魅了しつづけるだろうが、いずれにせよそれは彼らの文化[235]やその向かう先を解きあかす鍵などではなく、白人のアイデンティティ・ポリティクスの体系的な構築やその扱い方に論理的な限界を設定するものでしかない。たとえ貧乏白人《クラッカー》たちがその額に鉤十字のタトゥーを入れているのだとしても、この事実が揺らぐことはない（ハットフィールド家とマッコイ家の争い[236]は、チュートン人的なものというよりもパシュトゥーン人的なものである[237]）。

(224) https://hbdchick.wordpress.com/category/blogging/［ブロガーの hbdchick による同名のブログのトップへのリンク。筆名である hbdchick は、人間の生物的多様性説（Human Biological Diversity: HBD）を支持する「女子」（chick）ほどの意味。以下、擬似科学的言説を集積し、その分析と反論をおこなうウェブ・サイト『合理性ウィキ』（Rationalwiki）によるその紹介を引用しておく。「hbdchick は、人間の多様さに魅せられた罪のない読書好きを演じつつ「科学的な」差別主義に信憑性を与えようと目論むオルタナ右翼の「人間の生物学的多様性」ブロガーである。（……）一九世紀の擬似科学を信頼にたるものとして提示し、もっぱら極端で議論の余地がある差別的な研究者たちから引用をおこない（……）、ＩＱの数値から社会についての理解を再構成しようとする二〇世紀の著作『釣鐘型曲線《ベル・カーヴ》』の著者であるチャールズ・マレーから定期的に引用をおこなっている。／hbdchick はまた、ネオ・ナチや人種主義者やネット上の変わり者たちを含む他の「ＨＢＤ」サイトともリンクしている。（……）」。次のＵＲＬを参照。https://rationalwiki.org/wiki/Hbdchick］

(225) https://hbdchick.wordpress.com/start-here/［hbdchick による記事「導入」へのリンク。彼女のブログの前提となる議論をまとめた箇所で、内容については続く本文でのランドの整理を参照。なおこのリンク先の記事は、現在ではアーカイヴに移されているためリンク切れ。若干の追記を含むほぼ同様の内容は、次のＵＲＬに読まれる。https://hbdchick.wordpress.com/category/human-biodiversity/page/5/］

(226) https://en.wikipedia.org/wiki/W._D._Hamilton［ハミルトンの英語版ウィキペディアへのリンク。日本語版のウィキペディアも存在するが、さしあたりここでは、ハミルトンが、ダーウィン以来の難問として残されていた生物個体の利他的行動に画期的な進化論的説明を与えた人物であることが重要。］

(227)［訳注］inclusive fitness：ハミルトンが利他的行動を進化論的に説明するさいに導入した概念。従来、ある生物がどれだけ環境に適応しているかは、その生物の個体が残せる子の数を示す尺度である適応度によって計られていた。だがその場合、子を産まずただ女王蜂を助けるだけで一生を終える働き蜂などの示す利他的行動が説明できない。それにたいしハミルトンは、その個体と遺伝子を共有する血縁個体が残せる子の数も含めた包括適応度という概念を提唱し、利他的行動を取る個体は、血縁関係のある他の個体の適応度を増加させることで、自分と同じ遺伝子を増加させているのだとする「血縁選択説」という進化生物学上の理論を展開した。

〈クラッカー・ファクトリー〉のなかで生じている、新たな「歴史的・社会的な根源的諸力」

いま現在〈クラッカー・ファクトリー〉のなかで生まれている結合はまったく別のものであり、はるかに人を混乱させるものだ。つまりそのなかでは、極度に契約主義的な市場化を支持する都市的で洗練された者たちが、空想的な伝統主義者や民族的な排他主義者たち、あるいは「失われた大義《ロスト・コーズ》」[238]にノスタルジーを抱く者たちと深く関係しあっているのである。したがってそこからなにか教訓を引きだそうとする前に、なによりもまず、知性をくじくような超自然的な不可解さで溢れているその錯綜状態とはいったいなにを意味するものなのかが理解されなくてはならない。そのためにはおそらく、なかば思いつくままに挙げた以下のような必要最低限のデータが役に立つはずである。

＊「リバタリアンのシンクタンク」ミーゼス研究所[239]はアラバマ州オーバーン[240]で創設された。

＊ロン・ポール［Ron Paul：元共和党下院議員、リバタリアン］が一九八〇年代に発行していた公報には、ダービーシャー的な傾向をもった意見[241]が含まれている。

＊ダービーシャーはロン・ポールに夢中である。[242]

＊マレー・ロスバード［Murray Rothbard：リバタリアン、アナルコ・キャピタリスト］はＨＢＤを擁護する文章を書いている。[243]

＊「リバタリアン経済学者ルー・ロックウェル（Lew Rockwell）の個人サイト」『ルー・ロックウェル・ドットコム』の寄稿者にはトーマス・Ｊ・ディロレンゾ[244]やトーマス・ウッズ[245]が含まれる。

＊トム・パーマーは、「この連中はどちらも、地獄の門を開いてしまい、極右の人種主義者や愛

国主義者、そして種々雑多な変人たちを迎えいれてしまった」として、ルー・ロックウェルやハンス＝ヘルマン・ホッペを嫌っている。(246)

(228)［訳注］outbreeding：遺伝的に遠縁な個体間の交配を指す生物学の用語。
(229)［訳注］bioculture：生物個体の行動に影響を与える要素のうち、生物学的要因と文化的要因が分かちがたく組みあわさった状態にあるものを指す概念。
(230)［訳注］個人主義が「相互的な利他的行動」の存在を示唆する要素として挙げられている点に違和感を覚えるかもしれないが、hbdchick によれば、キリスト教的な罪の意識と対になった明確な個人の自覚こそが、異系交配（と荘園制）の支配した北西ヨーロッパの（つまりヘイナル線の内側の）最たる文化的特徴であり、個人主義があればこそ普遍的なものが志向され、体系的な法の必要性が説かれ、リベラルな民主主義が重視されて、ひいては「相互的な利他的行動様式のなかで、知識や発想や労働をたがいに公然と分けあう」ような行動上の特徴が支配的になっていったのだとされる。「啓蒙とはなにか。ようするにそれは、異系交配というプロジェクトが全面的に開花したものだった」と hbdchick は述べている。以下のURLのページなかほどに読まれる hbdchick の記事「異系交配と個人主義」を参照。https://hbdchick.wordpress.com/tag/individualism/
(231)［訳注］inbreeding：遺伝的に近縁な個体間の交配を指す生物学の用語。
(232)［訳注］vendetta：暴力の類型の一つ。長期間にわたって二つの氏族間で暴力の応酬が見られる状態を指す。
(233) https://hbdchick.wordpress.com/2012/01/27/culture-of-honor/［hbdchick による記事「名誉の「文化」」へのリンク。南部人の暴力性は彼らの文化に原因があるとする、ある社会心理学者たちの書籍にたいする批判的な書評。それは狭義の文化の問題ではなく、深く生物学的な領域とかかわる問題なのだとする。］
(234)［訳注］Übermenschen：ナチが支配民族としてのアーリア人を表現するさいに用いた呼称。対照的に絶滅の対象とされたユダヤ人等東方の非アーリア人は「劣等人種《ウンターメンシェン》」（Untermenschen）と規定された。
(235) https://www.amazon.com/Cracker-Culture-Celtic-Ways-South/dp/0817304584［歴史家グレディ・マクウィニー（Grady McWhiney）による『貧乏白人《クラッカー》文化——南北戦争以前の南部におけるケルト的生き方』のアマゾンのページへのリンク。］

＊リバタリアンや立憲主義者たちが、ＳＰＬＣ［Southern Poverty Law Center：南部貧困法律センター、左派のＮＰＯ団体］による警戒すべき「過激な右派たち」というリスト[247]の二〇パーセントを占めている（チャック・ボールドウィン、マイケル・ボルディン、トム・ドゥイーズ、アレックス・ジョーンズ、クリフ・キンケイド、エルマー・スチュワート・ローズ[248]）。

……（他にもまだすぐにいくらでも例を挙げられるが）これ以上続ける必要はないだろう。以上のデータは、不確かで未整理なまま、偏見をもとに選びだされたものであり、次のようなただ一つの基本的なテーゼにたいして、さしあたりの印象をもとに裏づけを与えるためのものだ。そのテーゼとはすなわち、［新たな］**歴史や社会を生みだす根源的諸力となるのは、貧乏白人《クラッカー》化されたリバタリアニズムなのだ**というものである。

hbdchickによる仮説的な研究から引きだされた結論を一つの枠組みとして受けいれるとしたら、リバタリアン的な主題と新たな南部連合的主題のあいだで生まれているこうした結合の奇妙さはすぐにあきらかになる。つまりそれを生物文化という座標軸のなかに置きなおし、異系交配の度合いをもとに比較してみると、この二つの主題が重複している部分——さらにいえば近似している部分——など存在しないことが、劇的なほどにあきらかになるのだ。一方の極を占めるのはラディカルな個人主義的教義であり、その関心はもっぱら、経済様式の自発的な交替が生む変わりやすいネットワークに向けられている（またこの立場は、社会的な紐帯の存在それ自体になんの反応も示さないことでも知られる）。だがもう一つの極の周囲には、自分たちの暮らす地域にたいする愛着や拡大家族、名誉、商業的な価値にたいする軽蔑、そして第三者にたいする不信といったものからなる数多くの文化が存在している。流体的な資本主義によって純化された合理性が、伝統的なヒエラルキーや譲渡不可能な価値観と同じ地平に置かれている。出口を最優先とする態度が、出口など想像したこともないような土着的な形式のただなかに雑然と存在しているわけである。

だがこの二つを一つにまとめてみると、一つのシンプルな、かつてないほどに抗いがたい帰結が生じることになる。すなわちそれは、英語圏における自由の未来は、分離という展望以外にはないというものだ。来たるべき崩壊《クラック・アップ》だけが、現状にたいする唯一の打開策なのである。

（236）https://hbdchick.wordpress.com/2012/05/31/hatfields-and-mccoys/［hbdchick の記事「ハットフィールド家とマッコイ家」へのリンク。ヒルビリーによる典型的な復讐《ヴェンデッタ》の応酬の例であり、二者間での激しい争いの代名詞でもある、一九世紀末のアパラチア山脈でじっさいに起きた二つの家の争いを、貧乏白人《クラッカー》的な生物文化のあらわれとして解釈するもの。］

（237）［訳注］チュートン人はゲルマン系諸民族の総称であり、パシュトゥーン人は主にアフガニスタンに居住するイラン系の民族にたいする呼称。ハットフィールド家とマッコイ家の抗争を、歴史的に紛争がつづいてきたアフガニスタンの情勢になぞらえ、貧乏白人《クラッカー》たちの文化がヘイナル線の外側の生物文化に属すものであることを強調しているわけだろう。

（238）［訳注］南北戦争時の南軍の大義を指す。しばしば指摘されるとおり、その懐古のなかで理想化が生じ、歴史修正主義の温床となる。

（239）https://mises.org/about-mises［マレー・ロスバードらを中心に組織された経済研究所であるミーゼス研究所のＨＰへのリンク。］

（240）［訳注］アラバマ州北部は先にランドが、貧乏白人《クラッカー》の典型となるヒルビリーたちの暮らす場所とした、アパラチア山脈南部地域に含まれる。

（241）http://articles.businessinsider.com/2011-12-20/politics/30537102_1_newsletters-paul-campaign-conspiracy-theories〔論説サイト『ビジネス・インサイダー』に掲載された、ジャーナリストのマイケル・ブレンダン・ドハティ〔Michael Brendan Dougherty〕による記事「ロン・ポールの人種主義的な広報の真相」へのリンク。ティー・パーティー運動からの支持を背景に、二〇一二年の大統領選予備選にも立候補していたリバタリアンのロン・ポールが、過去に人種差別的な内容を含む広報を発表していたことを告発する報道を受け、親リバタリアンの立場からポールを批判するもの。記事が引用するところによれば、九〇年代初頭のロス暴動を背景として書かれていたポールの広報には、「黒人を恐れることは悪いことなのだといわれつづけているが、彼らを恐れることは、すこしも不合理な話とはいえない」、「ＬＡでの秩序は黒人たちが生活保護給与を手にするときになってようやく回復したのだ」などといった言葉が読まれるらしい。なおこの記事は現在では削除されているようで、リンク切れ。〕

（242）https://johnderbyshire.com/Opinions/USPolitics/libertyliberty.html〔二〇〇七年当時、大統領選予備選に出馬していたロン・ポールを支持する由のダービーシャーの個人サイト内の記事へのリンク。〕

（243）https://www.lewrockwell.com/1970/01/murray-n-rothbard/were-not-equal/〔『ルー・ロックウェル・ドットコム』に再録されたロスバードのエッセイ「自然にたいする反逆としての平等主義」へのリンク。〕

（244）https://www.lewrockwell.com/author/thomas-dilorenzo/〔『ルー・ロックウェル・ドットコム』内のリバタリアン経済学者トーマス・Ｊ・ディロレンゾ（Thomas J. DiLorenzo）の寄稿した記事一覧へのリンク。ディロレンゾは、南部諸州の独立を目指す組織である南部連合との関係を公に認めている人物。〕

（245）https://www.lewrockwell.com/author/thomas-woods/〔『ルー・ロックウェル・ドットコム』内の経済学者でアナルコ・キャピタリストのトーマス・ウッズ（Thomas Woods）の寄稿した記事一覧へのリンク。ウッズもやはり、南部連合との関係が指摘される人物。〕

（246）http://tomgpalmer.com/2005/07/01/hans-hermann-hoppe-and-the-german-extremist-right/〔自身の個人サイト内に掲載されたリバタリアン経済学者トム・パーマー（Tom Palmer）の記事「ハンス＝ヘルマン・ホッペとドイツの過激なナショナリスト右派」へのリンク。〕

（247）https://www.splcenter.org/fighting-hate/intelligence-report/2012/30-new-activists-heading-radical-right［九〇年代頃から台頭してきた小規模だがカリスマ的人物を中心とする極右団体の群雄割拠状態に警鐘を鳴らす、SPLCによる記事「極右へと向かう三〇人の新たな活動家たち」へのリンク。そうした団体の警戒すべき指導者として、三〇人をリスト化している。］

（248）［訳注］チャック・ボールドウィン（Chuck Baldwin）は元共和党議員の反ユダヤ主義者、マイケル・ボルディン（Michael Boldin）はリバタリアンの立憲主義者、トム・ドゥイーズ（Tom DeWeese）はアナルコ・キャピタリスト的な立憲主義者、アレックス・ジョーンズ（Alex Jones）は立憲主義者のラジオ・パーソナリティー、クリフ・キンケイド（Cliff Kincaid）は、メディア批判で知られるオルタナ右翼活動家、エルマー・スチュワート・ローズ（Elmer Stewart Rhodes）は極右団体オース・キーパー（Oath Keepr）創設者。

PART 4e

暗号に横断された歴史

249

近代が必然的に退化へと向かうものであることをあらためて確認したうえでランドは、それに代わるいくつかの展望を示し、西洋が取るべきリバタリアニズム的な改善案を示していく。

とはいえ、そうしたいわば〈上から〉の改革は、あくまで仮説的に提案されるものにすぎない。ランドがなによりも問題にするのは、〈大聖堂《カテドラル》〉の庇護のもとでかつてないほどの力をもつ民主制そのものであり、それによって拡大する一途にある国家権力の現状である。

彼はアメリカの歴史を遡り、国家の肥大化の起源を南北戦争に突きとめていく。独立をかけて戦った南軍を鎮圧することによって連邦は、遡及的に自らの抱える「原罪」としての奴隷制と直面することになり、以降アメリカの歴史は、人種問題という「暗号」にその隅々まで横断されることになる。それを「解読」できるのはただ、国家の力とその力の正当化という対になった二つの読解格子だけなのだ。こうした歴史的な力学のなかで、独立を目指す動きがあらかじめ弁証法的に無力なものとならざるをえないのだとしたら、残された選択肢はただ一つ、〈下から〉の分離しかない。

民主主義は自由と対立するもので、民主主義的なプロセスにはほとんどその生来の性質といえるものとして、自由を増すのではなくそれを減少させる傾向が備わっています。ですから民主主義というのは、修復すべきなにかではない。社会主義と同じように、民主主義はそもそも不完全なものなのです。民主主義を修復する唯一の方法は、それを解体してしまうことしかありません。

——フランク・カーステン(250)［Frank Karsten：リバタリアン経済学者］

（科学史を中心とした）歴史家のダグ・フォスナウ［Doug Fosnow］は、新たな連邦を形成するために、アメリカ合衆国の「赤い」諸州にたいし、「青い」諸州からの分離を呼びかけた。だがこの呼びかけは、現実的に考えて「赤い」連合が西海岸の諸州(251)を獲得するはずはないと指摘する人々から、多くの疑義をもって迎えられた。ダグは本当にそんな分離が起こりうると考えていたのだろうか。おもってはい

(249)［訳注］二〇一二年七月三日更新。

(250) http://againstpolitics.com/2012/03/30/democracy-cant-be-fixed-its-inherently-broken/［アナルコ・キャピタリスト系の論説サイト『アゲインスト・ポリティクス』内に掲載された、その著書『民主主義を超えて——なぜ民主主義は連帯や繁栄や自由ではなく、社会的な不和や一方的な支出や専制的な統治をもたらすのか』をめぐるカーステンへのインタヴュー記事へのリンク。なお、同サイトは現存するが、現在ではこの記事は削除されている。］

(251)［訳注］アメリカ西海岸の諸州は伝統的に、民主党支持者が多い（すなわち開票速報の色分けでいえば「青い」）州が多いとされる。

ないさ、彼はさもたのしげにそう認めたが、しかし彼の考えているような人種間の戦争よりはいくらかましな事態なら十分に起こるかもしれない以上、よりおぞましくない可能性を見つけだすことこそが知識人の義務なのだといえる。

――ジョン・ダービーシャー(252)

したがって現在の状況下においては、トップ・ダウン型の改革を用いるのではなく、ボトム・アップ型の革命という戦略が採用されるのでなくてはならない。一見するかぎり、こうした方針が実現されることになると、自由主義的・リバタリアン的な社会革命が掲げる任務が不可能なものになるように見えるかもしれない。ようするにそれは、世間の大多数を、民主主義の廃絶や、税金や法律の廃止のために投票するよう説得しなくてはならないということを意味しているのではないか。大衆はつねに生気を欠き怠惰であることや、すでに述べたとおり民主主義は、道徳や知性の退化を促進するものだということを考慮に入れるなら、投票を促すべく大衆を説得するなどということは、まったくの幻想なのではないのか。投票の「権利」を自明のものと見なしているような、だんだんと退化していく人間たちの大半が、自動的に他の人間たちの財産を略奪できる機会を放棄するなどということが、いったいどうすれば期待できるというのか。たとえば以上のように考えるとするなら、たしかに社会革命の見通しは実質的に皆無だと認めざるをえない。だがそんなふうに考えるのではなくむしろ、国家からの分離をボトム・アップ型戦略の構成要素の一つと見なすかたちで再考してみることではじめて、自由主義的・リバタリアン的な革命の任務は、たしかに困難なものではあるにしろ、すこしも不可能などではないものとしてあらわれてくることになるのだ。

――ハンス＝ヘルマン・ホッペ(253)

人種にかんするパニックは、近代というプロセスの避けがたい帰結である

それを包括的に見た場合、近代とは一つの積分的な傾向によって定義される社会状況のことだといえる。その積分的な傾向とはようするに、人口増加を上回る持続的な経済成長率のことであり、だからこそそのなかでは、マルサスの罠(254)に捕らえられたそれまでの歴史からの逃走が確認されることになる。先入観なく評価をおこなうために、分析の対象とする項目を以下のような基礎的で数量化可能なものに限定するとしたら、この傾向のなかには目下、次のようなかたちで、（経済成長にかかわる）プラスとマイナスの構成要素が見られることになる。すなわちそのなかには、一方で、成

(252) https://www.takimag.com/article/partying_with_the_right_side_on_the_left_coast_john_derbyshire/［『タキズ・マガジン』に掲載されたダービーシャーの記事「大陸左側の海岸での右派との交流」へのリンク。シアトルで開かれたオルタナ右翼の会議を報告するもの。hbdchick に会ったことなどにも触れられている。］
(253) https://mises.org/library/impossibility-limited-government-and-prospects-second-american-revolution［ミーゼス研究所のホームページに掲載されたホッペの論考「小さな政府の不可能性とアメリカ第二革命の展望」へのリンク。］
(254)［訳注］生産性の向上が人口の増加に結びつくだけで、個々人の生活水準は低いままに留まる状態を指す経済学の用語。マルサス的均衡とも。こうした状態を予測した経済学者トマス・ロバート・マルサスに由来。

長を加速させる産業的・技術的な貢献（科学や商業にかんする貢献）があり、そして他方で、民主主義に後押しされるかたちで超過利潤を求めていく特別利益団体によって、経済的な産物が捕獲されていくことになる政治的・社会的な対抗的潮流が（つまり民主主義による硬化症[255]が）存在している。その結果としていまでは、古典的な自由主義を自由主義として完成させていたもの（すなわち産業分野での革命）が、（国家そのものに癌のような権利が与えられていることによって）消えさっているわけである。こうした状況を抽象的な幾何学として表現するとしたらそこには、自己制限的に進んでいくS字状の曲線[256]が描かれることになる。あるいはそれを自由化のドラマとして見た場合、約束は破られたのだといえる。

またそれを個別に、一つの特異点《シンギュラリティ》として、あるいは実在する**物**として考えてみた場合、近代には、自らのもつ数学的な純粋さを複雑にし、その力を削ぐような民族的かつ地理的な性格が備わっているといえる。近代はどこからかやってきて、広範な場所にたいして自らを押しつけ、世界中のさまざまな人々を、異常ともいえるほどの広がりをもった新たな関係のなかへと連れだしていった。資本の蓄積を可能にし、新たな人口の傾向を導くことで、かつてのマルサス主義的限界から溢れでた部分を巻きこみながら、しかし抽象的な経済機能とではなく、具体的な集団と結合すること、そうした関係こそが典型的に「近代的《モダン》」なものだった。したがって少なくとも表面的に見るかぎり、近代とは、ある種の人々が、彼らとはまったく似ていない者たちとともに、そしてもっぱらそうした者たちにたいして（あるいはそうした者たちに抗してさえ）おこなったなにかだったわけである。だがやがて二〇世紀の初頭になり、S字状の曲線がだんだんと緩慢になるなかで、その勢いを失っていくころには、近代に備わった包括的な特徴（すなわち「資本主義的疎外」）にたいする抵抗は、その個別性（「ヨーロッパ帝国主義」や「白人の至上性」）にたいする敵意とほぼまったく見分けのつかないものと化していった。近代というシステムの民族的かつ地理的な核にある自己意識が、人種にかんする[257]パニック[258]へと向かって[259]滑りおちていくのは、避けがたい結果だったのであり、そのプロセスを阻んだのは唯一、生贄として捧げられて終わった第三帝国の勃興だけだった。

（255）https://www.jonathanrauch.com/jrauch_articles/demosclerosis_the_original_article/［経済学者ジョナサン・ラウシュ（Jonathan Rauch）の個人ホームページに掲載された「民主主義による硬化症」（Demosclerosis）へのリンク。］
（256）［訳注］緩やかにはじまりつつ勾配を増していきながら、しかしある時点で上昇を停止し、以降ほぼ平行線をたどる曲線（いわゆるシグモイド曲線）をイメージすればいいだろう。
（257）http://library.flawlesslogic.com/pound.htm［ホワイト・ナショナリズムにかんする文章のアーカイヴ・サイトである『レイシャル・ナショナリスト・ライブラリー』（Racial Nationalist Library）に収められた、ニュージーランドの極右活動家ケリー・ボルトン（Kerry Bolton）による、モダニスト詩人エズラ・パウンド論へのリンク。その親ファシズム的な傾向に焦点が当てられる。］
（258）https://www.toqonline.com/blog/lothrop-stoddard-and-the-rising-tide-of-color/［ナショナリズム的な論説誌『ジ・オクシデンタル・クォータリー』（The Occidental Quarterly）ウェブ版に掲載された、ライターのジェームズ・P・ルビンスカス（James. P. Lubinskas）の記事。内容は、優生学や科学的人種主義の理論化で知られる二〇世紀アメリカの歴史家ロスロップ・スタッダード（Lothrop Stoddard）の業績を紹介するもので、とくに日露戦争を背景に書かれたその著書『有色人種の台頭』が取りあげられる。なおサイト自体は現存するが、この記事は現在では削除されている。］

近代に代わるいくつかの展望と西洋が採用すべき改善案

近代に本来的に備わった退化や自己消去へと向かう傾向を考慮に入れるかぎり、以下のような三つの大まかな展望が開かれることになる。個々の展望は厳密に排他的なものではなく、したがってそれぞれが真にオルタナティヴなものであるわけではないが、概略的な図式としての目的を考えた場合、こういったかたちで提示しておくのも無駄ではないはずである。

（一）近代2・0。地球規模の近代化は、新たな民族的かつ地理学的な核によってふたたび活性化され、ヨーロッパ諸国を中心としたその先駆者たちがもっていた退廃的構造から解放されていく。だがおそらくそれは、かつてと同じように致死的な性格を備えた長期的な傾向の数々に直面していくことにもなる。（親モダニスト的な立場から見るなら）こうしたシナリオはあきらかにもっとも人を勇気づけ、またもっとも歓迎されるだろうものであり、中国がいままさにそうした新たな核といえる地位へと向かいつつあると考えるなら、じっさいに遠からず実現されるだろうものでもある（残念ながらインドは、民主主義による硬化症の土着的なヴァージョンのなかで、中国のまともな競争相手となるには手遅れになってしまっているように見える）。

（二）ポストモダン。後戻りできないかたちで新たな暗黒時代へとたどりつき、近代それ自体にたいしてマルサス主義的な制限が課されていくなかで、このシナリオは、近代1・0があまりにも徹底してその病理をグローバル化してしまったために、この世界の未来のすべては、その病理を中心にして崩壊してしまったのだと仮定する。〈大聖堂《カテドラル》〉が「勝利」した場合に到来する事態がこれに相当する。

（三）西洋の再生《ルネサンス》。新しく生まれ変わるためにはなによりもまず一度死ぬ必要がある以上、

「強制終了《ハード・リブート》」は強制的なものであればあるだけよいことになる。この場合、分かりやすい危機や崩壊がもっとも高い勝算を示すものであることになる(またこうした展望を(一)に関連したその副次的な主題と見なすなら、これこそがもっとも現実的なものであることになる)。

たとえ──他を圧倒する蓋然性をもつ──近代2・0が、未来へと向かう世界的な本道なのだとしても、それぞれの競合はむしろ歓迎される事態であることを考えれば、西洋の再生《ルネサンス》の進捗がどれほどのものかによって、状況は少なからず変化していく。したがって問題は、科学やテクノロジーやビジネスについての改革以外一世紀以上のあいだ動きを見せず、むしろほとんどすべての分野で後退している西洋がどう動くかにかかっていることになる。以下にありうべきその改善案を示すが、先に挙げた三つの展望の実現可能性がどれも相当に疑わしい部分をもったものであることを考えれば、いずれもまだ厳密に仮説的な状態にとどめておくのが賢明だろう。[260]

(一) 代議制民主主義を、憲法にもとづいた共和主義(あるいはより極端な反政治的統治機構)と交替すること。

(二) 政府の規模を大幅に縮小し、その機能を(多くても)[261]中核をなす部分のみに厳密に制限すること。

(259) https://greatmindsonrace.wordpress.com/2011/10/02/h-p-lovecraft/[匿名の人種主義者によるブログ「グレート・マインズ・オン・レイス」(Great Minds On Race)内に掲載された記事「H・P・ラヴクラフト」へのリンク。二〇世紀アメリカの小説家ラヴクラフトの書簡のなかに読まれる、その分離主義的な人種主義的立場が紹介される。以上の三つのリンクはいずれも、二〇世紀初頭の「人種にかんするパニック」を例示するものだというわけである。]

（三）金属貨幣《ハード・マネー》（貴金属性の硬貨や純金積立証書）を再興し、中央銀行制度を廃止すること。

（四）国家が通貨や財政にかんして保有している決定権を剝奪すること。いいかえれば、実務にかかわるマクロ経済学を廃止し、自律的な（あるいは「市場理論的な《キャタラクティック》」）(262) 経済を自由化すること（この点は上記の（二）と（三）から論理的に導かれることであり、いささか余分ともいえるが、まさにこの点こそが求められることであるので、強調しておくに値する）。

他にもまだ指摘すべき多くの点が——つまり直接には政治とはかかわらない点が——存在するが、以上に挙げたどれをとっても、いまある文明が大変革を起こすのでなければ起きそうにないものであることは、すでにこの時点で火を見るよりあきらかだろう。政治家たちにたいして彼らがもっている権限を制限するように乞うことなどおよそ見込みのない考え方かもしれないが、わずかでも正しい方向へ向かおうとおもうなら、残された選択肢は他には存在しない。むしろ重要なのは、そうしたことよりもさらに広範にわたり、さらに深刻な問題の方である。

腐敗しきった民主主義こそが、反動へと向かう論拠に他ならない

民主主義はそもそも、政府権力の制限を目的とした防衛的な手続きにかかわるメカニズムとしてはじまったものであるはずだが、しかしそれは容赦なくすぐに、まったく別のものへと、すなわち組織的な窃盗の文化へと発展していく。政治家たちが「国庫」から政治的な支援を買いとる方法を学び、有権者が横領や賄賂を受けいれていく条件を整えてしまうと、民主主義的なプロセスはすぐに、（マンサー・オルソン［Mancur Olson：経済学者］のいう）「分配結託集団」——すなわち、自らが属す集団に有利な窃盗のパターンのなかで、共通の利益によってたがいに癒着した有権者の多数

派たち――を形成するためのものへと堕してしまうのだ。さらに悪いことに、概して民衆はそれほど目端の利く存在ではないため、政治体制が自由にできる略奪のあり方は、衆人環視のなかでおこなわれる認知症者の窃盗さえもはるかに上回るような大胆さをもつものになる。そうした略奪のなかでも、通貨の下落や負債の蓄積、成長の破壊、そして産業技術の停滞をつうじておこなわれる未来の強奪は、とくにたやすく隠蔽できるものであり、だからこそ当たり前のように何度も繰りかえされていく。民衆たちに自分自身を破壊する武器を与え、つねに我先にと手に取られ、そして実際に用いられもする武器を与えるものであるがゆえに、民主主義とは、本質的に悲劇的なものである。誰も無料《フリー》なものに「否《ノー》」とはいわない。そしてじっさいには無料《フリー》なものなどどこにもないこと

(260) http://distributedrepublic.net/archives/2008/12/18/rampant-moldbuggery/［自身のブログに掲載された、シリコン・バレーのエンジニアでブロガーのジェイコブ・ライルズ（Jacob Lyles）による記事「流行するモールドバグ主義」へのリンク。モールドバグの政治経済についての言及を肯定的に取りあげ、とくにその新官房学《ネオカメラリズム》がもつ反政府的な側面を強調して紹介するもの。いわくそれは、「実践的な市場アナキズム」であり、「統計学的アナキズム」であると述べられている。］

(261) http://www.daviddfriedman.com/The_Machinery_of_Freedom_.pdf［シカゴ学派の経済学者ミルトン・フリードマンの息子であり、リバタリアンのパトリ・フリードマンの父であるアナルコ・キャピタリスト、デヴィッド・フリードマン（David Friedman）の著作『自由の君主制――ラディカル資本主義の手引き』ＰＤＦ版へのリンク。］

(262)［訳注］自然発生的な市場秩序の働きを意味するオーストリア学派の概念。ミーゼスやハイエクらによって体系的に用いられる。経済という語の多義性を問題視した彼らは、人為的な構築物として考えられる一般的な意味での経済から、一つの自律的な秩序としての市場という概念を切り離すため、後者がもつ秩序をとくに「キャタラクシー」（catallaxy）と呼び、そしてそれを対象とする学を「市場理論」（catallactics）と名づけた。

に気づく者はほとんどいない。文化の完全な荒廃は、その必然的な帰結である。

近代1・0の最終局面のなかで、アメリカの歴史はそのまま、この世界についてのマスター・ナラティヴ[263]と化す。〈大聖堂《カテドラル》〉の世俗化した新たなピューリタニズムをとおして偉大なるアブラハムの文化がその隅々までいきわたり、ワシントンD.C.のなかに新たなエルサレムが生みだされる。メシア主義的かつ革命的な目的をもった装置の数々は、平等や人権や社会正義、そして——なによりも——**民主主義**の名のもとに、福音主義的な国家のなかで一つに統合されていくが、一方でその国家の方も、普遍的な友愛という新たな世界秩序を制定するために必要とされるありとあらゆる手段によって正当化されていく。集中的《インテンシヴ》に浸透すると同時に広範囲《エクステンシヴ》に影響を及ぼしていくなかで、結果としてあらゆる制限から解きはなたれ、いっさい遮るもののなくなった権力の一元化が、〈大聖堂《カテドラル》〉の庇護のもとに、熱狂的に追いもとめられていく。

そうした相反する動きを生みだしているのは厳格な道徳的狂信者たちなわけだが、しかし彼らは、アイロニーを身に纏うことで魔女狩りの担い手の末裔であるという自分たちの出自をすっかりと隠蔽し、そしてそのまま、かつて誰一人として目にしたこともないようなグローバルな権力の高みへと駆けあがっていく。だがその一方で同時に、大衆に根ざした民主主義の方は、尽きることのない食欲のおもむくままにどこまでも腐敗していき、かつて誰一人として想像したこともないような深みへと沈みこんでいくことになる。アメリカは五年ごと[264]に繰りかえし自分自身から自分自身を盗みとり、政治的な支えを生みだすかわりに自らの退路を塞ぎつづけている。**この民主主義ってやつはちょろいもんだ——自分に一番多くのことを約束してくれる奴に投票するだけでいいんだから。こんなことはどんな馬鹿にだってできるというわけだ。**じっさい民主主義は馬鹿な人間を好み、見かけだけの優しさをもって彼らを扱って、そしてより多くの馬鹿を製造するためにできることなら、それがどんなことだろうとやるのである。

したがって、民主主義に備わった容赦なく退化へと向かう傾向それ自体が、反動へ向かうさいの暗黙の論拠を提示しているのだといえる。というのも、社会や政治にかんする主たる「進歩」のいずれもが、西洋文明の包括的な崩壊を導いてきたものである以上、その歩みをたどりなおすことは、略奪によってなりたつ社会から自らの力だけを頼りにすることのできる古きよき秩序へと、公正な産業や取引へと、プロパガンダに冒される前の学問へと、そして市民による自己組織化へと立ちかえることを暗示することになるからだ。こうした反動的なヴィジョンが人を惹きつける力をもっていることは、アメリカの政治の歴史がたどってきた惨憺たる流れをはっきりと理解する（ティー・パーティー運動の）無視できない数の少数派たちのあいだで、一八世紀の扮装やその時代のシンボル、そして憲法にかんする文章(265)が流行しているという事実によって裏づけられている。

人種問題によって暗号化された歴史

［議論が反動の正当性をめぐるものへと至るなかで］おそらく読者の頭のなかではいま、「人種」とい

(263)［訳注］それを範とするかたちで他の言動を領導するような強い影響力をもつ物語。
(264)［訳注］大統領選を示唆するものとおもわれるが、アメリカの場合正確には四年ごと。
(265)［訳注］保守的な憲法解釈にもとづき、建国の父たちの時代へと回帰することを理想とするティー・パーティー運動の集会などでは、ガズデン旗などが掲げられるほか、しばしばその当時の人々の扮装が見られ、ポケット版のアメリカ憲法を携行するすがたが見られた。

う警報機《アラーム》が鳴ったはずだ。もし鳴っていないのだとしたら大したものである。想像のなかで二〇〇八年以前の世界まで遡行してみるとしよう。するとかならず良心が囁きはじめ、ケニアの革命派やマルクス主義者の黒人教授たちにたいする当時の自分の偏見を問いただしてくるはずである。そしてそのまま遡りつづけていき、〈偉大な社会〉(266)や独立戦争の時代まで至るなら、警告の音はさらに高まり、ヒステリックなまでに激しいものになるに違いない。こうした点を踏まえるなら、こんにちまでのアメリカの政治の歴史が、国家がもちうる**能力**《キャパシティー》とその**正当化**という、重なりあう双子のような軌道に沿って進歩してきたことは火を見るよりもあきらかなのだといえる。国家の規模と広がりにたいして疑問を投げかけることはそのまま、その目的の高潔さにたいして異議を唱えることを意味する。国家があらゆる資源にたいして要求し、またあらゆる法的制限に与えている道徳的で宗教的な必要性は、国家それ自体の力を十二分に展開するためにこそ要求されるものなのである。よりはっきりといえば、リヴァイアサンの圏域から身を引きはなすことは、これまで受けつがれてきた人種主義的な罪の——事実上ほとんど無限なものといえる——莫大さにたいして、また老いさらばえた近代が唯一いまも手放すことのない定言命法——政府は**より多く**を為すことを求めている——にたいして、無神経にもデモをしかけることと同義なのだ。そもそも設定されていた問題が政府の慢性的な実力行使という病的な結論に取って代わってしまったのではないかと、ほとんど確信に近いものをもって疑うような議論は、民主主義という宗教の時代にはまったくそぐわないものであり、その実践的な無意味はあらかじめ決定されてしまっているのである。

　政府の拡大や中央集権化のなによりの原動力になっているのが、(問題はその意図ではないにしろ)**善いことを為したい**とする燃えるような思いなのだと、純粋に心から信じているような者は、順を追ってまともに考えたことのある人間であれば左派においてさえまず多くは見つからないはずだ。だが対をなす軌道が交差するなかで、道徳的なドラマが電気ショックのような作用を生みだす。結果として人種というゴルゴタの丘となんにでも介入してくるリヴァイアサンとのあいだにあった隔たりは飛びこえられ、両者を分けていた懐疑は宙づりにされて、大いなる進歩という神話が定着することになった。**さらに大きく、これまで以上に多くをおこなう政府にたいするオルタナティヴは、繰りかえし黒人たちがリンチされているあいだ、なにもしないまま、ただその場に立ちつくしているだけだった。**アメリカの進歩教育の本質的な内容は、たとえばこうした命題のなかに余すところなく含まれている。

　したがって、国家の潜在的な力とその力の目的という双子のような歴史の軌道は、一つの変換プロトコル(267)なのだと見なすことができる。それは政府権力に課されるあらゆる制限を、人種的な正義にたいする悪意ある妨害として「解読」することを可能にする。こうした交換のシステムはきわめて円滑に機能するものであり、結果としていままでは——「福祉」や「結社の自由」や「州の権限」などといった——、(党派を問わず用いられる)「暗号言葉《コード・ワーズ》」や「犬笛《ドッグ・ウィッスルズ》(268)」の語彙全体がそれによ

---

(266)［訳注］ケネディ暗殺の後を受けた第三六代アメリカ大統領リンドン・ジョンソンが掲げた内政改革のスローガン。貧困対策を主軸とし、社会保障の拡充などをおこなったが、この文脈ではとくに、人種差別の禁止を法制化した公民権法が制定されたことが重要。

(267)［訳注］データの送受信にかんする規定を意味する情報工学上の用語。ランドによるなら、ホワイト・フライトという問題が人種間の対立に還元されてしまうのは、ここでいわれている「変換プロトコル」が作用した結果なのだということになるのだろう。

ってもたらされ、（左右を問わない）〈重要な政治的次元〉[269]にかんする理解可能な発話のすべてが、人種問題を喚起する事案で飽和している二重のレジストリのなかに場所を占めることになっているほどである。こうして人は、反動的な回帰に奇妙な果実[270]のにおいを嗅ぎつけるようになるわけだ。

歴史の暗号化は、南北戦争とともにはじまる

……そして以上のような事態は、二〇世紀という苦難の時代に約束が破られるよりも前に、すでにはじまっていたことだったのだ。相次ぐ政治的な反目や演説が合流する中心となる場を定めるというかたちで、（黒人対白人という構図をとる）人種にかんする弁証法によってリヴァイアサンがじっさいにかかわる問題に暗号化が施されたのは、（勝者の呼び名では）「アメリカの内戦《アメリカン・シヴィル・ウォー》」、ないし（征服された側の呼び名では）「南北戦争《ウォー・ビトウィーン・ザ・ステイツ》」のときだった。この致命的な事態を理解するために避けることのできない最初の一歩を踏みだした途端、その歩みは、主流派である国家主義者の説明と、それにたいする修正主義者の説明のあいだに生じるいびつな線に沿ってうねるように進んでいくことになる。というのも、一八六〇年代初頭にアメリカという国を焼きつくした激しい炎は、奴隷制からの解放か州の権限か[271]のどちらか一つを巡るものだったわけだが、しかし双方の立場が主張するその「原因」はいずれも他方には還元することのできないものであり、戦争がもつ拭いがたい曖昧さを消しさるには十分とはいえないものだったからだ。連邦《ユニオン》が勝ちほこる目下の状況のなかでは、中央集権化された政府権力が盤石なものとなっていることを手放しで祝福する相当数の「リベラル」たちが一方に存在し、そしてそれと対称をなすかたちで、南部諸州における動産奴隷制のための新たな南部連合を支持する（前者よりもはるかに少ない数の）者たちが存在しているわけだ

が、なんの葛藤もない両者の立場はいずれも、**暗号に横断された戦争**がもつ動的な文化的伝統を把握できずにいる。

南北戦争こそが問題の核心である。戦いの先にある自由がもつ意味を、［北軍にとっての大義である］**解放**と［南軍にとっての大義である］**独立**の二つへと実践的に切り離し、そして五年にもおよぶ虐殺の日々のなかで青と灰色[272]がたがいに激しくぶつかりあうことをとおして、南北戦争は、対立の結果がどうであれ、所与のものとしての自由は戦場では破壊されてしまうのだという事実を揺るぎないものにした。連邦軍の勝利は、それによって手にされた解放としての自由が、アメリカだけではなく世界中を制していくだろうことを決定づけ、そして〈大聖堂《カテドラル》〉の段階的な支配は確実なものになった。にもかかわらず、分離をめぐって戦われたこのアメリカの二度目の戦争にたいする鎮圧は、第一の戦争を徒労へと変えてしまうことになる。すなわちそれは必然的に、奴隷制の存在によって独立を目指す戦いの正当性が奪われるのだとしたら、ではいったい一七七六年の場合はどうな

---

(268)［訳注］それぞれ、婉曲的な表現と特定の者にだけ意味の伝わる表現を意味する俗語表現。
(269)［訳注］システムを作動させるさいに用いられる重要な情報を格納するデータベースを意味する情報工学上の用語。
(270)［訳注］黒人差別の惨状を告発する内容の歌詞をもつジャズの定番曲「奇妙な果実」（Strange Fruit）を踏まえた表現。
(271) https://leagueofthesouth.com/rights/whatisstatesrights10252010.shtml［南部連合のサイトに掲載されていたらしい記事「州の権限とはなにか」へのリンクのようだが、ウェイバックマシン上も含め現在記事は削除されているため、確認することができなかった。］
(272)［訳注］青は連邦軍の制服の色を意味し、灰色は南軍の制服の色を意味する。

るのかという問いを生じさせたのだ。連邦の大義がもつ道徳的な一貫性は、彼らの先祖に当たる者たちが、政治的に非合法な白人の家父長的奴隷主だったのだと考えなおされることを要求していくことになった。結果として進歩主義的な教育や文化における論争のなかで、アメリカの歴史という主題がにわかに盛りあがりを見せはじめたわけである。

独立が奴隷主のイデオロギーなのだとしたら、独立の計画的な破壊がおこなわれないかぎり解放はありえないことになる。つまり暗号に横断された歴史のなかでは、一方の自由の実現は、他方の廃絶と切り離しえないものになるのだ。

PART 4f

生物工学的な地平へのアプローチ

ダービーシャーの記事をきっかけにした長い「脱線」の最後のパートであり、「暗黒啓蒙」全体の結末でもあるこの箇所では、分離主義の象徴かつ極限として、生物工学の問題が取りあげられる。

目下確認される遺伝主義的決定論と社会構築主義のあいだにある（ひいては自然と文化のあいだにある）対立は、二つの境界に生まれている「動的な回路」を決定的に取り逃がしているのだとランドはいう。新たな科学技術を媒介にして自然と文化が往還することになるそうした回路では、人間とはなんであるかを定義することと、それを「技術的に可塑的な存在」として再定義することは同義である。したがって、静的なものとしての人間のアイデンティティは消えてなくなる。ゲノム編集をその典型とする生物工学によって、いまや人間は「進化の新たな段階」に入ろうとしているのだというわけだ。

進化生物学者ジョン・H・キャンベルの議論を援用しつつ、新たな進化の能力を手にした人間のことをランドは「怪物」と呼び、怪物になること、あるいはまったく新たな種を形成することをもって、人種にかんする弁証法の外へと向かうことを呼びかけていく。

〈遺伝主義的決定論か社会構築主義か〉という偽の対立

手短に結末まで向かい、この長い脱線を結論へと導くことにしよう。ここでの基本的な主題は、西洋社会を支配する現代のメディアとアカデミズムの複合体——すなわち、メンシウス・モールドバグが〈大聖堂《カテドラル》〉と呼ぶもの——がおこなうマインド・コントロールであり、思考の抑圧である。だが物事が押しつぶされる場合でも、押しつぶされたものが完全に消えてなくなるわけではない。そうではなくそれは場所を移され、その身を隠すための陰《かげ》のなかに避難するものだ。そしてときによってそれは、怪物へとそのすがたを変えていくことにもなる。〈大聖堂《カテドラル》〉の抑圧的な教義がさまざまなかたちで、またさまざまな意味において力を失いつつあるこんにち、怪物たちの時間が迫っている。

〈大聖堂《カテドラル》〉の中心的なドグマは、標準社会科学モデル［Standard Social Scientific Model］（SSSM）や「空白の石板理論」というかたちをとって形成されてきた。(274) この信仰の本質は、人間をめぐってなされる問いのうち有意味なものとして認められるのは、文化の領域にかかわるものだけなのだという、フランツ・ボアズ(276)［Franz Boas：人類学者］の人類学をもとに作りあげられたものである。自然は**この**「人間」のあり方は許容するものだが、そもそも人間とは**なんであるか**を決定するものではないというわけである。したがってそれにもとづくかぎり、人間たちのあいだで確認される自然な特徴やその変異を直接に研究の対象とするような問いは、当然のように文化的に異常な事態だと理解され、あるいは病理としてさえ理解されることになる。われわれが目にすることのでき

(273)［訳注］二〇一二年七月二〇日更新。

るのはただ、「自然《ネイチャー》＝本質」が犯した失敗だけなのだ。〈大聖堂《カテドラル》〉それ自体は一貫したイデオロギー的な方向性をもち、それにもとづいて自らの敵をふるいにかけていくものであるため、ＳＳＭがもつ比較的公平な科学的評価法は、すぐに剝きだしの敵対性へと変わっていくことになる。（スティーヴン・ピンカーの『人間の本性を考える――心は「空白の石版」か』〔山下篤子訳、ＮＨＫ出版、二〇〇四年〕にたいする思慮にあふれた書評のなかで）サイモン・ブラックバーン〔Simon Blackburn：イギリスの哲学者〕が指摘しているように[277]、「自然と環境のあいだにある二項対立は即座に、政治的かつ感情的な含意を帯びていく。誤解を恐れずにいうなら、右翼は遺伝子を好み、左翼の方は文化を好む（……）」。

こうして、せめぎあう相互の敵意の境界で、どちらもすでに根本的に役に立たなくなっている因果性のモデルに依拠したまま、遺伝主義的決定論と社会構築主義が対峙することになる。自然がそれ自体を文化として表現するのか、**それとも**、文化が（「構築されているもの」としての）自然のイメージにもとづいてそれ自体を表現するのか、というわけだ。だがこれらの立場はともに、**実践的な自然主義という文化**にたいして、いいかえれば、この世界の科学技術的かつ産業的な操作にたいして構造的に盲目なまま、不完全な回路の両端で身動きできなくなっているのだといえる。

科学技術が生みだす自然＝文化という回路のなかで、静的なアイデンティティは消滅していく

なんらかの知識の習得や道具の使用は単一の力学的回路であり、閉じられた一つのシステムとしての科学技術を生産しはするが、理論と実践の両面においてそこに真の多様性が存在しているとはいえない。科学は複数のループのなかで発展していくものである。つまりそれは、実験的な**技術**

や、たえず洗練を繰りかえしながら広範にわたる産業プロセスの枠内に埋めこまれていく設備の生産をとおして発展していく。したがって科学の進展とはそのまま、機械の改良を意味することにな

(274) http://www.sscnet.ucla.edu/comm/steen/cogweb/ep/EP-primer.html［カリフォルニア大学ロサンゼルス校のサイト内で公開されている、心理学者レダ・コスミデス（Leda Cosmides）と人類学者ジョン・トゥービー（John Tooby）夫妻による論考「進化心理学入門」へのリンク。進化心理学が乗りこえるべき前提として彼女たちが命名した、人間の精神についての「標準社会科学モデル」の概要が説明されている。曰くそれは、「人間の精神は空白の石板に似たものであり、経験という手でなにかがそこに書きこまれるまで、実質的にはいっさいなんの内容ももたない」とする考えであり、この考えによれば「人間の精神がもつ具体的な内容はすべて、もともとは「外部」から——すなわち環境や社会的な世界から——もたらされたもの」だと見なされるのだとされる。］

(275) https://vdare.com/articles/john-harvey-s-race-and-equality-the-standard-social-science-model-is-w-r-o-n-g［『ヴィーデア』に掲載された、心理学者リチャード・リン（Richard Lynn）による記事「ジョン・ハーヴェイの『人種と平等』——「標準社会科学モデル」は間・違・っ・て・い・る」へのリンク。ハーヴェイの近著にたいする書評で、標準社会科学モデルにたいする批判の系譜を踏まえつつ、ハーヴェイの著作をその最新版と位置づける。リンの主催するらしい版元から二〇一二年に同書を刊行しているという以外、ジョン・ハーヴェイ（John Harvey）なる人物が何者かはいっさい不詳。ちなみに書評者のリンは二〇一八年、人種差別的発言を理由にアルスター大学から名誉教授の称号を取りさげられている。］

(276) https://www.anthropology.wisc.edu/pdfs/Passion_of_Franz_Boas.pdf［ウィスコンシン大学マディソン校人類学科のサイト内に掲載された人類学者ハーバート・S・ルイス（Herbert S. Lewis）による論文「フランツ・ボアズの受難」へのリンク。差別主義的で優生学的な当時の人類学に反対し、文化決定論（人間の行動様式は後天的な文化の学習をとおして決定されるとする立場）を提唱した人物というボアズ像を揺るがすバックラッシュ的な伝記研究を踏まえ、あらためてその生涯を検討する。なおこの論文は現在では公開されておらず、リンク切れ。］

る。（近代）科学がもつこうした本来的に技術的な性格は、文化のもつ**有効性**を、一つの複雑で自然な力として提示する。その力は、あらかじめ存在している周囲の自然な状況を表現するものでもなければ、たんに社会的な表象を構築するものでもない。代わりにそこでは、自然と文化が、自然の境界において、一つの動的な回路を構成する。事態の推移が決定されるのは、そうした動的な回路においてなのである。

近代化がもつその自己補強的な前提にもとづくかぎり、なにかが理解されることとは、そのなにかを修正することができるのだということを意味する。だからこそ生物学と医療が同時に発展することが期待されるわけである。以上を踏まえるなら、科学的な発見の波を氾濫させることによってSSSMを包括的に転覆させることになる歴史的な力学は、同時にまた、生物工学をつうじて人間の生物学的な同一性を揮発させることにもなる。**本当のところわれわれはどのようなものであるのか**を学ぶことと、われわれ自身をテクノロジーによって左右される偶発的な存在として、いいかえれば、精密で科学的情報にもとづく変形の余地を残した、**技術的に可塑的**《テクノプラスティック》な存在として再定義することのあいだに、本質的な違いは存在しない。だとすれば「人間性《ヒューマニティ》」なるものも、技術圏《テクノスフィア》のなかに包含されたものとして、知的な理解の対象となる。つまりそのなかでは、――たとえば――ゲノム情報の処理によって、その読解と編集が完全に同期することになるのである。

そうした回路が人間という種を消滅させていくにつれて、その回路について記述することはそのまま、われわれの**生物工学的な地平**を定義するのと同じことを意味することになっていく。つまりそれは、一つの個体群とそれがもつテクノロジーとが見分けのつかないものになるような、自然と文化が決定的に融合する閾を定義することと同義になるのだ。そこにあるのは遺伝主義的な決定論でも社会構築主義でもない。だがそれは両者がともに指摘していたはずのなにかであり、その意味でどちらも、なにかしらの真実を示してはいたことになる。オクテイヴィア・バトラー［Octavia Butler：フェミニストの黒人ＳＦ作家］はこうした徴候をはっきりと先取りし、その『ゼノジェネシス』[278]三部作を、生物工学的な地平を超えた先にいる新たな個体群についての調査に捧げている。そのなかに登場する「遺伝子商人」オアンカリは、たえず自分たちで実行している生物工学的なプログラムと分けて考えることのできるようなアイデンティティをもたない。彼らは単一の完全なプロセスの枠内で自分たちの人口を商業的に獲得し、産業的に生産し、そして性的に再生産している。オアンカリとはなんであるかと、彼らがどんなふうに生活し、あるいはどんなふうに行動しているかのあいだに、確たる違いは存在しない。なぜなら、彼らは自分たち自身を作りだしているからであり、彼らの自然は彼らの文化であり、（そしていうまでもなく）その逆もまた同様だからだ。彼ら

（277）http://www.powells.com/review/2002_11_21.html［オレゴン州の書店チェーンであるパウエルズ・ブックスのウェブ・サイトに掲載されたブラックバーンによる書評「フリントストーン一家がやってきた」へのリンク。決定論と構築主義の中間的な立場からピンカーが依拠する進化心理学的な枠組みそれ自体の妥当性を否定しつつ、一方で、彼の本を支持するような民衆的欲望が存在することには留意すべきだとする。なおこの書評は現在では公開されておらず、リンク切れ。］

（278）http://biology.kenyon.edu/slonc/books/butler1.html［オハイオ州ケニオン大学のサイト内に掲載された、生物学者でありＳＦ作家のジョーン・スロンチェフスキ（Joan Slonczewski）による記事「オクテイヴィア・バトラーの『ゼノジェネシス』三部作――生物学者からの反応」へのリンク。二〇〇〇年のＳＦ研究協会（Science Fiction Research Association）での口頭発表原稿で、生物学者の立場から三作のあらすじを紹介しつつ、八〇年代後半に書かれたバトラーの小説がもつ先見性を評価する。］

が**何であるか**は、厳密にそのまま、彼らが**何をしているか**なのである。
西洋の正統圏《オーソスフィア》の宗教的な伝統主義者たちは正しくも、おぼろげに見えている生物工学的地平を、（ネガティヴな意味での）神学的な出来事と見なしている。科学技術にもとづいた人間による人間の生産《オートプロダクション》はあきらかに、五億年前の真核生物の出現以来つづく自然の秩序のなかで生じた、もっとも大きな大変動の中心に位置する被造物としての人間がもつ、動かしがたく神聖視されてきたその真髄を奪いとってしまうことになる。それはたんに進化の過程のなかでの一つの出来事なのではなく、**進化の新たな段階**の閾となるものなのだ。ジョン・H・キャンベル［John H. Campbell：進化生物学者］は、「じっさい、いまのわれわれの遺伝システム以上に工学的操作に適したものを想像するのは難しい」と論じつつ、[279] **自己触媒的人間**《ホモ・アウトカタリティコス》の出現を予告している。

怪物性の預言者、ジョン・H・キャンベル

だがジョン・H・キャンベルとは誰か。彼こそは怪物性の預言者である。キャンベルの示す怪物にたいする完璧な根拠を以下に引用しておく。

> 生物学者たちはいま、現存する種の周縁部において、複数の個人によって構成されるごくわずかなその外群[280]から（またMayr, 1942によれば、おそらくは単一の受胎した女性からも）、急速に新たな形態が進化しているのではないかと考えている。そこでは、事実上居住不可能な環境からくるストレス、外部から隔離された状態にある家族の成員間での強いられた同系交配、近傍の種からもたらされた異質な遺伝子の「遺伝子浸透[281]」、たがいに競いあうための他種の成員の欠如などと

いった事態が、おそらくは遺伝子構造のなかのささやかな変化をきっかけとして、ゲノム・プログラムの大きな再組織化を促している。そうした奇形化した少数の種のほとんどすべては絶滅するが、偶発的に生存に適した新たな生態的地位に適応するものがあらわれる場合がある。それは新たな一つの種として繁栄し、発展していく。そして自らを統計的に抑制された遺伝子プールへと変換することで、さらなる進化へと向かう変化によってその種が変動しないようにする。確立された種は、その変化よりもはるかに、その均衡状態において注目に値するものである。新たに娘種(282)が発生したとしても、現存する種が変化することはないように見える。誰もが認めるとおり、種はその程度もまばらなまま、だんだんと変形するものだが、しかしそうしたいわゆる「向上進化(283)」は、新種の発生において見られる地質学的に突発的な目立った飛躍に比べた場合、相対

(279) http://www.neoeugenics.net/camp.htm［HBDを支持するブロガー、マット・ヌエンケ（Matt Nuenke）の運営するサイト『新優生学』（neoeugenics）に再掲された、一九九五年のキャンベルの論文「われわれの将来の進化がもたらす道徳的要請」へのリンク。次段落以降の引用もこの論文からのものである。なおこのサイトは現在では閉鎖されている。］

(280)［訳注］outgroup：分析対象となる生物群（内群）の比較項として参照される、その近縁の生物群を意味する分類学上の用語。

(281)［訳注］一方の親種の遺伝子が、もう一方の親種に広く浸透することを意味する遺伝学の用語。これにより遺伝的に〈純粋〉な親種が消滅し、新たな種の発生に繋がるとされる。

(282)［訳注］daughter species：親種と対になる遺伝学上の用語で、種の分化によって発生する新たな種を意味する。

(283)［訳注］単一系統内での変化で、それまでとは段階を画するような進化的な変化を意味する遺伝学の用語。

的に重要なものではない。

以上見てきた内容には、次のような三つの重要な点が含まれる。

一．進化をもたらすたいていの変化は、新たな種の起源と結びついている。

二．進化のいくつかの様態は、同時に作動する可能性がある。この場合、もっとも効力をもつものがそのプロセスを支配することになる。

三．進化するのはもっぱら、複数の個体からなるわずかな少数派であり、総体としての種ではない。

進化のもつ二つ目の重要な特徴は、その自己言及性である（Campbell, 1982）。金型に沿って生地のシートからクッキーを切りだすようにして種の形態に指図を出すような、自律した外的な「環境」というデカルト主義的な戯画は、もはや無効であり完全に誤ったものだ。種は、環境が種を「進化させる」のと同程度に、深くその環境を形成する。とくに有機体は、そこにおいて競争が繰りひろげられる限定された環境条件を生じさせる。したがって遺伝子は進化のなかで、二つの役割を果たしていることになる。一方でそれは自然淘汰の対象であるわけだが、他方で同時に、自らに課される淘汰の圧力を誘発し、それを決定づけるものでもあるのだ。こうした循環する因果性は、進化がもつはずの機械的な性格を圧倒している。進化のプロセスは、有機体の進化した活動がもたらすフィードバックによって支配されているのである。

さらに、進化について理解しておくべき第三の重要な点として次のことが挙げられる。進化は、そのプロセスそれ自体のなかで変化するものであり、結果として有機体内部での変化を超えて広がっていく。ようするに、進化は進化するのである（Jantsch, 1976; Balsh, 1989; Dawkins, 1989;

Campbell, 1993)。進化論者はみなこの事実を知っているが、それがダーウィン主義と齟齬をきたすものであるため、その事実にふさわしい重要性を与えていない。ダーウィン主義者たち、なかでもとくに現代のネオダーウィン主義者たちは進化を、生物学の手前にある単純な論理原則による操作だと見なしている。進化とはたんに、自然淘汰の働きについてダーウィンが述べた原理であり、それこそが進化の科学の対象なのだというのだ。原理が時間や状況によって変化するものではありえない以上、彼らにとって進化は基本的に静的なものである必要があるわけである。

だがいうまでもなく、生物学的な進化はまったくそのようなものではない。それはつねに進行中の複雑なプロセスであり、一つの原理などではない。進化が起こるさいのあり方は時間とともに変化しうるものであり、またじっさいに変化するものだ。この点はきわめて重要なものであり、ようするに進化のプロセスは、その進展につれてたえず異なる段階へと発展するものなのである(Campbell, 1986)。地球の原始スープ(284)のなかに存在していた生命以前の段階にある物質が進化することができたのは、ダーウィン主義的なものともいえないような「化学的な」メカニズムによるものでしかなかった。だがそうした瑣末なプロセスが、自らの複製にかんする情報を備えた遺伝子という分子を生みだした結果として、進化は自然淘汰を生じさせることになった。そこから進化は、生命が環境からもたらされる淘汰の風に反応するさいのあり方をコントロールする

(284)［訳注］primordial soup：ソ連の生物学者アレクサンドル・オパーリン(Aleksandr Oparin)が生命の起源を説明するさいに用いた仮説。大気中の成分から構成された非生物的な有機体が液状の形態をとったもので、それがなんらかの作用を受けることで生命が誕生したのだとされる。

ために、自己複製的なゲノムを、自己複製的な有機体のなかに取りこんだ。そしてそのうえで、多細胞の有機体を創造することによって進化は、より緩慢で用途の限られた生物化学的な進化に代わるものとして、形態学的な変化へとたどりついていった。発生プログラムにもとづいた指示をもとにした変化が、酵素触媒反応をもとにした変化に取って代わる。神経系の形成は、さらに迅速でより大きな可能性をもった、行動的で社会的で文化的な進化への道を切りひらいた。そして最終的にそうしたより高次の様態は、合理的で目的をもった進化に必要不可欠である、なにかしらの到達点へと向かう精神によって導かれ駆りたてられていく有機体を生みだした。以上のような進化のステップのいずれもが、新たに出現した進化の能力の段階を表現するものだったわけである。

したがって、明確に区別されつつしかし相互に絡みあった、二つの進化のプロセスが存在しているのだといえる。その二つをここでは、「適応的進化」と「発生的進化」と呼んでおこう。前者は、その生存や再生産の成功を重視する有機体のダーウィン主義的な変化のことである。だが発生的進化は、それとはまったく異なるものだ。発生的進化とは、構造にかかわる変化ではなく、一つのプロセス内部での変化である。さらにいえばそのプロセスは、存在論的なものだといえる。進化とは、字義的には「展開《アンフォールド》すること」を意味する語であり、そしてそのときに展開されていくものとは、進化の能力なのである。高次の動物たちは、だんだんと進化することとそれ自体に熟達していった。だが対照的にそうした動物たちは、彼らの祖先や、あるいはもっとも低次の形態をとる微生物たちと比べ、ほんのわずかでもより環境に適応するようになったとはいえない。すべての種はこんにち、まったく同じ生存の軌道をもつに至っている。こんにちに生きる高次の有機体はみな、一〇〇万年前の場合にそうだったのと同じように、平均すれば二体の子孫をあとに残そうとするだけであり、したがって現代における種の数々は、過去の種と同じように、絶滅へと向かっていくことになるはずである。再生産の成功が時間によって累積していく要素ではない以上、種がより適応的なものになっていくことはありえない。

生物工学的分離主義は人種問題からの〈出口《イグジット》〉へと向かう

自分たちの孫は自らの姿に似たものであるべきだと考えているような人種的ナショナリストにとってキャンベルの述べていることは、天地創造以前の混沌そのものに違いない。だが人種の混交によっては問題が解決することはない。なされるべきは、**顔に触手の生えた種《フェイス・テンタクルス》について思考することだ**。アイデンティティ・ポリティクス（人種的な純潔性）や知能をめぐる伝統的なエリート主義（優生学）にたいする関心によってわずかでも取り乱しているわけではないにもかかわらず、キャンベルもまた分離主義者である。生物工学的な地平へとアプローチすることで分離主義は、はるかに広く、そしてはるかに怪物的な方向性を引きうけることになる——すなわちそれは、**新たな種の形成**へと向かっていくのだ。優れた進化(285)を目指す者たちは、以下のようなかたちで、こうしたシナリオをはっきりと捉えている。(286)

(285)［訳注］euvolution：進化（evolution）に「よい」、「優れた」を意味する接頭辞"eu-"を組みあわせた造語。もっぱらHBD支持者によって用いられているものらしい。いうまでもなくあからさまに優生学（eugenics）を喚起する語だが、かつてのそれとは区別され、（キャンベルのいう「発生的進化」としての）生物工学による人種改良のプロセスそれ自体を指すものとして使われているようである。

人類の大部分が人口の質的な管理という方針を自発的に受けいれるわけではないと考えるキャンベルは、それがどのようなものであれ、人間という種全体のIQを上げようとする試みは、うんざりするほどに緩慢なものになるはずだと指摘している。さらに彼は、初期の優生学の主な目的は、種の改良ではなくむしろ、その衰退を阻止することだったのだと指摘する。したがってキャンベルの優生学は、「過去の遺物」や「生きた化石」としてのホモ・サピエンスを放棄することを支持し、ゲノムに介入するためのさまざまな遺伝子テクノロジーを適用することを支持することになる。そうしたテクノロジーによる介入はたとえば、DNA合成装置を使いゼロから新たな遺伝子を生みだすことによってなされていく。さしあたりはエリート集団によって実践されることになるだろうこうした優生学が完成することになれば、進化のそれまでどおりのテンポはあっというまに、根本的なかたちで追いぬかれることになり、わずか一〇世代ほどのあいだに、ちょうどわれわれが類人猿を超えていったのと同じようなかたちで、新たな集団が目下のわれわれの先へと進んでいくことになるはずである。

生物工学的な地平から見るなら、人種にかんする恐怖の弁証法からなにが出現しようと、そんなものは些事のうちに留まる。いまや立ちさるときである。

（286）http://www.euvolution.com/eugenics/radical_intervention.html［「未来主義者のメガ・ポータル&コミュニティ」を謳い、遺伝子工学やクローン技術にまつわる情報を紹介するウェブ・サイト『創造的な意識的進化』に掲載された無記名の記事「根本的介入」へのリンク。遺伝子工学の現状を整理したうえで、新たな「優生学のプラットフォーム」を生みだすためには「機械脳」（machine brain）の誕生が待望されるという古典的なＳＦ的展望を語る。サイトは現在では更新を停止しているようだが、科学技術にかんするものだけではなく、ＨＢＤや分離主義、ＰＣ批判など、新反動主義的な主題を展開する記事を多くアーカイヴしている点が目を引く。宇宙人や宇宙の画像を配したトップ・ページのバナーを含め、「反動圏《リアクトスフィア》」の想像力がどのようなものかを示す一つの例として一見の価値があるサイトだといえる。］

訳者解説　なにから離脱するべきか

五井健太郎

はじめに

本書はイギリスの哲学者・ブロガーのニック・ランドによるテクスト「暗黒啓蒙」の全訳である（Nick Land, The Dark Enlightenment, 2012）。訳出にあたっては、ギリシャ神話に登場する黄泉の国の川の渡し守を意味する「カロン」（Charon）なるハンドルネームの人物が運営する、テクストと同名のサイト『暗黒啓蒙』にまとめられたものを底本とした[1]。以下では、このテクストの書かれた当時の状況を踏まえ、それが特定の歴史的な文脈のなかでもっていた政治的な性格を指摘したうえで、各パートの概要を確認し、解説に代えておきたい。

テクストの初出とその基本的な性格

もともとはこのテクストは、上海の観光情報を英語で発信する雑誌『ザッツ上海』[2]（that's Shanghai）ウェブ版のなかにあるコラムの一つだった、ランドのブログ「都市の未来」に掲載されたもので、いまからおよそ八年前、二〇一二年の三月から七月にかけ、パートごとに計一〇回に分けてアップされたものだ[3]。

とはいえこの場合、上海という地理は本質的なものではない。インターネットを介してこのテクストの第一の宛先として定められていたのはあきらかに、海を隔てたアメリカで当時勢いを増していたティー・パーティー運動だった。オバマ政権下において既得権益を取りあげられていた白人中流層を主な担い手とした、議会外の草の根的な保守運動であるティー・パーティー運動にたいし、ネット上から理論的に介入することで、彼らを焚きつけて状況をよりいっそう混乱させ、オバマ政権が誕生した二〇〇九年以降のリベラル一人勝ちの状況を動かすことこそがその目的だったわけだ。論証による説得よりも扇情的な情報の羅列によって印象づけをおこなっていくスタイルや、演劇的な露悪性をもった大げさなレトリックは、このテクストがもつそうした檄文的な性格を物語るものだといえるだろう。(4)

（1）https://www.thedarkenlightenment.com/the-dark-enlightenment-by-nick-land/
（2）この雑誌は、ランドが当時から現在まで編集者兼ライターとして勤務しているらしい上海の出版社アーバナトミー（Urbanatomy）が刊行するもの。同誌にいまもランドがかかわっているかは不詳だが、たとえばそのツイッターのプロフィール欄に次のような文言が読まれることは、苦笑とともに指摘しておこう（なお原文の強調は引用者による）。「上海でイケてるものをお知らせします」（We tell you what's **crackin'** in Shanghai.）。https://twitter.com/thatsshanghai
（3）このブログはすでに削除されているが、ウェイバックマシン上のアーカイヴを参照したかぎり、底本としたまとめとの異同はないようだった。アーカイヴのＵＲＬは次のとおり。https://web.archive.org/web/20121121161932/http://www.thatsmags.com/shanghai/news-features/urban-future-blog/page/2
（4）ティー・パーティー運動について、日本語でのまとまった紹介としては、次を参照。藤本一美、末次俊之『ティーパーティー運動——現代米国政治分析』東信堂、二〇一一年。

各パートの概要――PART 1から4まで

以上を踏まえたうえで、各パートの概要を確認しておこう。PART 1「新反動主義者は出口《イグジット》へと向かう」でランドはまず、アメリカ西海岸のリバタリアン起業家たちを発信源として生じていた「新反動主義」なる思想潮流を、その政治・経済的な展望に注目して紹介していく。民主主義を捨て、国家は企業のように経営されるべきだとする新反動主義者たちの「新官房学《ネオカメラリズム》」なるプランはあきらかに、福祉国家的な〈大きな政府〉路線をとっていたオバマ政権下で、(彼らからすれば不当な)増税に憤っていたティー・パーティー運動参加者たちにとって、渡りに船といえるような魅力をもったものだったはずだ。このように、取りあげる内容の選定から文体のあり方までもふくめ、特定の宛先から逆算するようにして――いわばオンデマンドなかたちで――論述を進めていくことは、政治的な扇動《デマゴギー》としての「暗黒啓蒙」のきわだった特徴だといえる。

つづくPART 2「歴史の描く弧は長い、だがそれはかならず、ゾンビ・アポカリプスへと向かっていく」で、もっぱら経済的な面から民主主義の相対化がおこなわれていくが[5]、なかば以降から今度はその歴史がたどられはじめ、ランドが特権的な参照項とする新反動主義の理論家カーティス・ヤーヴィン(筆名：メンシウス・モールドバグ)の議論にもとづいて、民主主義がもつ根本的な宗教性が指摘されていく。経済的な側面からその歴史へという議論の力点の変化はおそらく、このパートが更新された直前に、のちに全米をおおきく動揺させることになるトレイヴォン・マーティン射殺事件が全国的に報道されていったことを背景としたものであるはずだ[6]。〈粗暴な白人による無垢な黒人にたいする一方的な暴力〉という構図で報道されていく事件を受け、(あらためて)差別許すまじという進歩主義的・平等主義的な論調に傾いていく。それを横目に見つつランドは、それまでの論述の流れを一度断ちきり、議論の過程で人種問題という主題を導出するヤーヴィンのテクストをあえて参照して、民主主義、人種問題、宗教という三つの項を一つなぎにして提示してみせることによって、リベラルな世論の（ひいてはオバマ政権にたいする信頼の）高まりのなかで居心地の悪さを募らせていた、反リベラル勢力に訴えかけようとしたわけである。

この点はおそらく、全体のなかで次のPART 3にのみタイトルがないことにも関連している。民主主義、人種問題、宗教の三項に加え、さらにそこへ必然的な国家権力の拡大という四つ目の項をつなげてみせるこのパートもやはり、トレイヴォン事件を経てマイノリティにたいする同情を高め、民主主義や平等という大義を掲げてその社会を抑圧的なものにしていたオバマ統治下のリベラルなアメリカにたいする介入といった性格をもっている。したがって、そのタイトルの不在は、そのなかでなされているような議論に一言で名前を与えて公開することは、目下のアメリカ社会におけるリベラル派の勢いを考えれば、恐ろしくてとてもできないのだという含みをもたせた、一種のパフォーマンスなのだと考えられる。またこのパートには、全体のなかでもおそらくリベラル派をもっとも逆上させる論点だとおもわれる、「ヘイト／憎悪」をめぐる議論が含まれることも特筆しておくべきだろう。人種や性別等々の生来的な特徴によって人を差別・迫害するいわゆるヘイト行為についてランドは、やはりヤーヴィンの議論を応用するかたちで、たんじゅんな犯罪行為という

（5）危機を煽る言説と、そのなかに頻出する「ゾンビ・アポカリプス」というサブカル的な想像力にもとづいた未来予想図の関係については、不可視委員会『われわれの友へ』（HAPAX訳、夜光社、二〇一六年）の「メリー・クライシス・アンド・ハッピー・ニュー・フィアー」の章が参考になる。

（6）この点については、訳注（61）を参照。

レヴェルとは別に、その背景には、リベラル派が覇権をにぎる目下の世界そのものにたいする憎悪《ヘイト》が指摘されるべきなのだと主張している。

ヘイト行為を擁護しているとも取れるそうした議論を受けてのことだろう、PART 4「ふたたび破滅へと向かっていく白色人種」では、白人至上主義者（ランドが紹介するヤーヴィンの言葉でいえば「ホワイト・ナショナリスト」）たちの議論を批判的に取りあげることにより、新反動主義がいかにそれとは異なるかが説明されていく。レイシストっぽいことといったけど、ほんとは違うから安心してね、というわけだ。白人至上主義者たちの偏執狂的な思考のあり方が、距離を取って批判的に紹介されていくのだが、しかし一方で、新反動主義者は、ある一点において彼らを評価するのだとされる。その一点とはつまり、「人間の生物学的多様性」なる観点だ。ようするにこれは、知性にしろ外見にしろなんにしろ、ひとはひとりひとり異なったものだ、というきわめて当たり前の事実を、科学的なデータにもとづいて公理化したものだ。白人至上主義者や新反動主義者たちはそれを根拠にして、たとえば、白人は黒人とは離れて生活するべきだといったような主張を展開することになるわけである。いちおういっておくがこれは、科学的なデータをかさにきてひとを差別する科学的人種主義そのものだ。さすがに馬鹿馬鹿しく、「くたばれ」としかいいようがないが、一方で、そうした彼らの主張の背景には、リベラル派が実質をともなわないまま、神聖にして不可侵なものとして人間の平等を謳いあげ、目下の社会を生きづらいものにしているのだという認識があるとされていることは、――実情以上に事態を煽ろうとするフレームアップ的な議論であることは差しひいても――重く受けとめておくべきだろう。

ダービーシャー事件を踏まえた「脱線」――PART 4a から 4f まで

そうしたPART 4での議論を受け、以降のパートは、ティーパーティー運動に参加するようなアメリカの議会外の反リベラル派を具体的なその宛先にして、新反動主義という思想潮流を紹介していくという全体の議論からの「脱線」というかたちで、執筆当時のアメリカ社会を騒がせていたある事件が取りあげられていく。その事件とは、新反動主義的な考えをもったジャーナリストであるジョン・ダービーシャーが、科学的人種主義を含む記事を公開したとして、保守派の大手論説誌『ナショナル・レヴュー』をクビになったという一種のスキャンダルだった。トレイヴォン事件をめぐるあるリベラル派ジャーナリストの記事にたいするパロディのような形式を取ったその記事のなかで、ダービーシャーは、人間の生物学的多様性を根拠として掲げたうえで、黒人と白人は離れて暮らすべきなのだと述べていたのだった。したがって以降のパートは、それまでに見てきた新反動主義の議論を踏まえつつ、それに近い考えをじっさいに披露して注目を集めたダービーシャーにたいする反応を観察することをとおして、その妥当性を検討しようとするものだといえる。

PART 4a「人種にかんする恐怖をめぐるいくつかの副次的脱線」でランドはまず、アメリカ社会のなかにおいて、人種問題における対立は、そのままリベラルと保守の対立へと読みかえられるのだとしたうえで、ダービーシャーの「分離主義」的な意見のなかに、リベラル派が圧勝する民主主義を捨て、その「〈出口《イグジット》〉」へと向かう新反動主義との相同性を指摘する。そのうえで、つづくPART 4b「厄介な者たちの発言」では、その時点までにあきらかになっていたトレイヴォン事件の報道にかんするリベラル派の誤りを踏まえ（その筆頭として、加害者のジーマーマンが厳密には白人と呼べない人物だったことがある）、目下の社会に存在する進歩主義的・平等主義的な偏向が指摘され、あらためて科学的な公理としての人間の生物学的多様性の重要性が説かれていく。

それを受け、次の4c「〈クラッカー・ファクトリー〉」では、そうした偏向がどこに由来するものなのかを暴くことを目的に、アメリカの現代史がたどられていく。ランドによれば、一九六〇年代前半の公民権運動を一つの分水嶺として、リベラルvs.保守という二極的な対立は実質的に崩れていたのだとされ、結果保守たちは、時代の進歩から取りのこされた愚か者として、構造的なかたちで社会の隅に――彼が〈クラッカー・ファクトリー〉と呼ぶ境遇に――追いやられているのだとされる。ここでのランドの議論は、旧来の保守の無能性を批判するものであるとともに、そうした状況から外に出ようとするダービーシャーのような新たな（つまり新反動主義的な傾向をもつ）保守のあり方を肯定し、ひいては、このテクストの宛先である議会外の反リベラル勢力に理論的な後ろ盾を与えることで、彼らを活性化させようとしたものだといえる。

そうした扇動は、つづくPART 4d「奇妙な結婚」でよりあからさまなものになる。解釈妄想的な言葉あそびを前提にしたそこでの議論は一言ではまとめがたいものなので、詳細は本文、および訳注の(200)を見てもらうとして、ここではその結論だけを見ておこう。ランドはそこで、論証ではなく情報の羅列によって、新反動主義の一つの軸であるリバタリアニズムの提唱者たちと、南部諸州に暮らす貧乏白人《クラッカー》たちのあいだにある類縁性を指摘し、一見して結びつきそうもない両者を新たな「歴史や社会を生みだす根源的諸力」と規定する。そしてそのことによって彼は、元来リバタリアニズムに親和性をもち、いっぽうで、ほかでもなくアメリカ南部の人々をその担い手の一つの軸としたティー・パーティー運動を肯定し、つよく後押ししていくことになるのだ。次のPART 4e「暗号に横断された歴史」が建国以来のアメリカの歴史をあらためて取りあげているのもやはり、オバマ的な憲法解釈に反対するティー・パーティー運動に檄を飛ばすためのものだろう。

そして最後の4f「生物工学的な地平へのアプローチ」においてランドは、ダービーシャーが見せたような新反動主義的な分離主義の一つの極北であり、人種問題（ひいてはリベラルと保守の対立）を解決する最終的な手段として、生物工学による遺伝子操作によって、そもそも人類とは異なる、まったく新たな種——ランドはそれを「怪物」と呼ぶ——を生みだすことを提唱する。あまりに飛躍した議論には面食らうが、ことこのパートにかんしては、「暗黒啓蒙」の初出媒体である「都市の未来」というブログの性格がつよく作用しているのだといえる。初回の投稿によればそのブログは、上海という都市を定点として来たるべきテクノロジーの動向に注目し、西洋近代の延長線上にあるそれとは別の未来を予測する場であったらしい(7)。したがって、当時のアメリカ社会で勢いをもっていた議会外の反リベラル派に檄を飛ばし、ひいては、それまでとは別の未来を待望するという「暗黒啓蒙」の基本的な性格それじたいが、そもそも「都市の未来」の目的に沿ったものだったともいえ、その結論であるPART 4fには、もっとも直接的にランド本人の主張があらわされているのだともいえるはずである。

おわりに——なにから離脱するべきか

ようするに「暗黒啓蒙」とは、いまとは別の未来に取り憑かれた哲学者兼ブロガーが、みずからの望む状況を得ようとして、覇権国家であるアメリカの状況に介入してみせた、そんな文章だった

(7) ブログ「都市の未来」の性格については、訳注(80)を参照。

のだといえる。ティー・パーティー運動を一つの目印として議会外の反リベラル派をその宛先としたランドの介入が、現実政治のなかでじっさいのところどれだけ機能したのか、正確なところは分からない。だがいずれにせよ結果だけ見れば、その後のアメリカ社会においてリバタリアニズムへの期待（とリベラルへの不信）は高まり(8)、状況はおおよそのところ、ランドが望むとおりになったのだといってよいのかもしれない。決定的な誤算としては、新反動主義的な発想がスティーブン・バノンのような人間にいいように利用され(9)、トランプ政権の誕生を招いたことだろう。

以上、もっぱらそれが書かれた歴史的な背景に注目しつつこのテクストをまとめてきたが、最後に、そうした文脈を抜きにしてこの本が日本語で読まれるときのために、訳者として、いくつかの論点を提示しておきたい。

まず、とうぜんあるだろうリベラル派からの批判にたいして一言しておく。露悪的で扇情的なランドの文章は、そもそも扇動のためのものであり、ひらたくいえば悪口をいうための悪口なのであって、基本的には、あまりまともに取りあう必要はないものだ。逆にそれに逐一逆上しているようだと、――ネット・スラング的ないいまわしでいう「釣り」に引っかかるようなもので――かえってランドの思う壺になり、つまりは潜在的な反リベラル派を元気づかせてしまうことになる。むしろ必要なのは自省だろう。「暗黒啓蒙」のようなテクストが書かれた要因の一つに、リベラル派のもつ「正しいことは正しい」のだとするような思考のパターンがあることはあきらかであり、いま現在の私たちの日常生活を見ても、そうした思考が抑圧的に機能している例は枚挙にいとまがないはずだ。ランドの議論に批判のための批判ゆえの過剰さがあることは指摘しておきつつも、民主主義や平等は、ほんとうにそれほど重要なものなのかという点については、あらためてふかく考えてみるべきである。

とはいえいっぽうで、ランドが説く新反動主義にそのまま同調するのは、あきらかに愚かなことだ。何度でも繰りかえすが、この文章は扇動のためのものであり、厳密な議論のための場ではなかった。したがってそこに読まれる新反動主義がいかに魅力的に見えるとしても、そんなものはようするに、あまり物を考える習慣をもたず、とにかく税金を払いたくない程度の認識でティー・パーティー運動の流れに乗るような人間たちにたいし、甘い夢を見させてやるために造られた疑似餌にすぎないのだ。それを政治的なイデオロギーとして見た場合、新反動主義の詰めの甘さはあきらかである。民主主義の起源に宗教性があるなどというごく当たり前の事実を大喜びして指摘しているあたりはご愛嬌だが、〈出口《イグジット》〉などといいながら、じっさいのところかぎられたごく一部のエリートに勝ち逃げを呼びかけているにすぎない新官房学《ネオカメラリズム》などというおためごかしに、リベラルな価値観になじむことのできないまま割りを食って生きる貧困層が惹きつけられるのだとしたら、さすがに笑えない事態だといえる。またなにより、新反動主義を支持することはその科学的な人種差別を支

（8）アメリカのリバタリアニズムの現状については次を参照。渡辺靖『リバタリアニズム——アメリカを揺るがす自由至上主義』中公新書、二〇一九年。

（9）トランプ政権発足時の首席戦略官だったバノンは、「暗黒性はいいものです」（Darkness is good）と公言し、その政治的な「力」を積極的に評価している（https://edition.cnn.com/2016/11/18/politics/steve-bannon-donald-trump-hollywood-reporter-interview/index.html）。また新反動主義ともかかわる新しい右派とバノン（ひいてはトランプ政権）の関係については、浜本隆三『アメリカの排外主義——トランプ時代の源流を探る』平凡社新書、二〇一九年、第七章の議論を参照。

持することとまったく同義であることは肝に銘じておくべきだ。差別はバカのやることである。なぜ差別はいけないのか。民主主義や平等があるからではない。近代や啓蒙があるからではない。それが正しいからでもない。たんじゅんに不愉快だからだ。

以上とは別に、ランドの議論が受けいれがたい理由として、私にとってなにより決定的なのは、分離にしろ離脱にしろ〈出口《イグジット》〉にしろ、けっきょくのところ「暗黒啓蒙」が――ひいてはランドが――説く外部なるものが、いまあるこの世界と地続きのものでしかないということだ。それが説く離脱とはけっきょくのところ、「国家という全体からその領土の一部を切りと[10]」りつつ、切りはなしたはずの当のものとまったく同じホッブズ主義的な主権という原理によって、新たな国家を縮小再生産しようとするものにすぎない[11]。「暗黒」などといっておきながら、これではあまりにも中途半端にすぎるのではないだろうか。いったいなぜ、「真の暗黒の道は、この世界を構成するすべてのものを無効にする[12]」くらいのことがいえないのか。民主主義や平等を批判しながら、人は統治されてしかるべきだという前提はまったく疑わず、あまつさえ国家に回帰しようとは。民主主義的な国家も新反動主義的な国家も不要であり、あらゆる統治は退けられるべきなのだとこの世界そのものから出ていくのだと、いったいなぜいえないのだろう。

おりもおり、新型コロナウイルスによる感染症が猛威をふるい、国家的なものが前景化するさなかでこの文章を書いている。家から出るな、手を洗え、パニックになるな、とにかくいうことを聞け。だがオリンピックの延期を発表した直後に感染者数がはねあがるという摩訶不思議な事態が起きているあたり、国家の対応が後手後手にまわっていることはあきらかで、今後さらにおぞましい事態が起きるのは間違いないだろう。事態の推移のなかで、人工知能その他のテクノロジーが新たな統治者の地位に駆けあがることにもなるはずだ[13]。いずれにせよそのときに問われているのは、ホッブズ主義的な主権というフィクションにすがりつづけ、包装紙だけを変えた別の未来という空手形に魅せられたまま、いまやその破綻もあきらかな文明とともに滅んでいくのか、それともまったく別の生き方を選ぶのかという問いである。ウイルスはいっている。「決断をくだすために主権者である必要はありません[14]」。

人間にとって度し難く真に暗黒なものであるウイルスの声に耳を傾けつつ、いまこそ私たちは、あらゆる統治から離脱するべきである。

(10) 不可視委員会『われわれの友へ』HAPAX訳、夜光社、二〇一六年、一八九頁。同書のうちこの引用を含む章は、新反動主義的な分離主義にたいする一つの回答として読まれるものである。

(11) ナショナルなものを批判しつつ、主権を無批判に前提にする態度は、ランドの初期から指摘できる。たとえば次を参照。Nick Land, *Fanged Noumena: Collected Writings 1987-2007*, Urbanomic/Sequence Press, 2011, p.80. また同じ問題をまったく別の角度から問いつつ、主権の論理の拒絶としての無政府状態を肯定する議論としては、酒井隆史『暴力の哲学』河出文庫、二〇一六年、第二部を参照。「暗黒啓蒙」にたいする批判の論点は、酒井による同書および『完全版 自由論 ―― 現在性の系譜学』（河出文庫、二〇一九年）にあらかじめほぼ出揃っており、ともに必読。

(12) アンドリュー・カルプ『ダーク・ドゥルーズ』大山載吉訳、河出書房新社、二〇一六年、九〇頁。

(13) 哲学者のユク・ホイは、「コロナウイルスにたいする戦争は、なによりも情報戦争である」と述べる (https://www.e-flux.com/journal/108/326411/one-hundred-years-of-crisis/)。また、すでに実現しているAIによる統治の例としては、次を参照。梶谷懐、高口康太『幸福な監視国家・中国』NHK出版新書、二〇一九年。

(14) ランディマタン「ウイルスの独白」HAPAX訳、二〇二〇年。http://hapaxxx.blogspot.com/2020/03/blog-post_30.html

［著者］
ニック・ランド（Nick Land）
1962年、イギリス生まれ。初期にはバタイユを専攻。ドゥルーズ＋ガタリの研究を経て、90年代中頃にはウォーリック大学の講師として「サイバネティック文化研究ユニット（Cybernetic Culture Research Unit: CCRU）」を設立。大陸哲学に留まらず、SFやオカルティズム、クラブカルチャーなどの横断的な研究に従事する。「暗黒啓蒙」なるプロジェクトを通して「新反動主義」に理論的フレームを提供し、のちの「思弁的転回」や「加速主義」、「オルタナ右翼」に思想的インスピレーションを与えた。著書に“The Thirst for Annihilation: Georges Bataille and Virulent Nihilism”, “Fanged Noumena: Collected Writings 1987-2007”などがある。

［訳者］
五井健太郎（ごい けんたろう）
1984年生まれ。東北芸術工科大学非常勤講師。専門はシュルレアリスム研究。訳書にマーク・フィッシャー『わが人生の幽霊たち：うつ病、憑在論、失われた未来』（ele-king books、2019年）がある。

［序文］
木澤佐登志（きざわ さとし）
1988年生まれ。文筆家。インターネット文化、思想など、複数の領域に跨った執筆活動を行う。著書に『ニック・ランドと新反動主義：現代世界を覆う〈ダーク〉な思想』（星海社新書、2019年）、『ダークウェブ・アンダーグラウンド：社会秩序を逸脱するネット暗部の住人たち』（イースト・プレス、2019年）がある。

暗黒《あんこく》の啓蒙書《けいもうしょ》

二〇二〇年五月二〇日　第一刷発行

著者　ニック・ランド

訳者　五井健太郎《ごいけんたろう》

序文　木澤佐登志《きざわさとし》

発行者　渡瀬昌彦

発行所　株式会社　講談社

東京都文京区音羽二丁目一二―二一　郵便番号一一二―八〇〇一

電話　編集〇三―五三九五―三五二二

販売〇三―五三九五―四四一五

業務〇三―五三九五―三六一五

印刷所　株式会社新藤慶昌堂

製本所　大口製本印刷株式会社

定価はカバーに表示してあります。

N.D.C.100 270p 19cm　ISBN978-4-06-519703-5